MOTOR VEHICLE REGISTRATION MARKS OF THE BRITISH ISLES

compiled by
Thomas N. Bowden
edited by
Peter Watts

Published by
Peter Watts Publishing Limited
Stag House, Gydynap Lane
Inchbrook, Woodchester, Glos. GL5 5EZ

Typesetting and Printing by
Trio Graphics
13-15 Stroud Road
Gloucester GL1 5AA

ISBN 0 906025 65 6

All photographs taken by Thomas N. Bowden.

CONTENTS

oreword by the Compiler

Ever since my boyhood days I have always had an interest in vehicle registra-
ons. On long car journeys my parents used to devise various games, using car
egistrations, to keep me amused. Gradually, however, this interest developed into
more serious study of the registration system used in the British Isles.

The information in this book has been compiled from observations and research
nade over a number of years, with verification and additional material supplied from
number of sources, such as the Driver Vehicle Licencing Centre at Swansea.

I do hope you will find this book useful and trust that it will encourage and
nhance your interest in the vehicle registration systems of the British Isles.

In compiling this book I would like to express my gratitude to the many individuals
nd organisations for their help and advice so freely given. In particular I would like
o thank:

.E. Osmundien, Driver Vehicle Licencing Office, Swansea.
.H. Corkhill, Isle of Man Highway and Transport Board.
.H. May, Motor Registration Office, Dublin.
/rs K.E. Patton, Department of the Environment, Northern Ireland.
/r. R. Burrow.
/r. R. Dyer.
/r. M. McCarthy.
/r. W. Power.

I would like to say a special thank you to Miss E. Purdie of the Information Office,
.V.L.C., Swansea for pointing me in the right direction when inspiration was
eeded. Also to the editor/publisher and Mr. J. Pritchard for their help and encour-
gement whilst the text was being researched.

February 1988   *Thomas N. Bowden,*
                                                    Plymouth, Devon.

Introduction

Vehicle registration within the British Isles began in 1903 as a simple means o identifying a vehicle and thence being able to trace its owner or registered keepe by means of that registration mark. The early registrations were of one or two letter followed by a number between 1 and 999, ie. AA 33.

As more cars were registered, this system had to be expanded by the use of a third letter prefixing the original two ie. AAA 333. By the early 1960's the variation afforded by these digits were becoming exhausted and the need for an additiona digit, adding many millions of new combinations, became acute. A new system o registration was therefore adopted whereby a suffix letter was issued indicating th year of registration, for example, AAA 3T indicates a vehicle registrered b Salisbury between the 1st August 1978 and 31st July 1979. After the 'Y' suffix wa issued for 1982/83 the system was reversed, the suffix letter becoming a prefi followed by the number and three letter mark, such as A3 AAA.

Prior to 1974 all vehicle records were kept by Local Vehicle Taxation an Licencing Offices, found throughout the British Isles. If the owner of a car, lorry, o whatever moved from one part of the country to another, those vehicle record would have to be physically transferred from one office to another. Naturally, thi wasted a lot of time and money. Therefore it was decided to centralise all informa tion at a new complex in Swansea and from October 1974 all new vehicle record have been kept there. Local Vehicle Licencing Offices, eighty one in number, too over at the same time from the erstwhile Taxation and Licencing Offices and jus became responsible for issuing new registration marks for their locality. Details ar passed onto Swansea where they are microfilmed and kept in the largest microfiln retrieval system in Europe.

Once the running of the Swansea complex was settled and the transfer of existin information from the L.V.L.O.'s to there was completed, twenty seven of the loca offices were closed and the administration of their marks was passed onto th remaining ones. For example, Gloucester took over the CJ, FO and VJ marks fron Hereford.

The preparation of this book has been a mammoth task and every care has been taken to ensure its accuracy. However, gremlins are known to creep in where least expected and we would welcome any comment (via the publishers address on page 2) relevant to maintaining one hundred per cent accuracy in future editions.

ENGLAND, WALES, SCOTLAND AND THE ISLE OF MAN

Complete Index Mark Allocations - Alphabetical

The following pages list each main registration mark (column 1) and the Taxation and Licencing Office that was responsible for controlling its issue up to 1974 (column 2). Local Vehicle Licencing Offices then became responsible and these are listed in column 3.

If an L.V.L.O. was closed in the 1980/81 re-organisation then the adjacent office taking over the mark is listed in column 4. Thus, the history of each mark can be traced from 1903 through to the present day.

All digits in a one or two lettered registration (ie AA 1), or the second and third in a three digit registration (ie AAA 1) indicate the authority or subsequent L.V.L.O. that is responsible for its issue.

AUTHORITY INITIALS:
C.B.C. = City Borough Council or County Borough Council.
C.C. = County or City Council
B.C. = Burgh Council (Scotland).

MARK	PRE-1974	POST-1974	1980 CHANGE
A	London C.C.	—	—
AA	¹Hampshire C.C.	Salisbury	Bournemouth
AB	Worcestershire C.C.	Worcester	
AC	Warwickshire CC.	Coventry	
AD	Gloucestershire C.C.	Gloucester	
AE	Bristol C.B.C.	Bristol	
AF	Cornwall C.C.	Truro	
AG	Ayrshire C.C.	Kingston-U-Hull	
AH	Norfolk C.C.	Norwich	
AJ	North Riding of Yorkshire C.C.	Middlesbrough	
AK	Bradford C.B.C.	Sheffield	
AL	Nottinghamshire C.C.	Nottingham	
AM	Wiltshire C.C.	Swindon	
AN	²West Ham C.B.C.	Reading	
AO	Cumberland C.C.	Carlisle	
AP	East Sussex C.C.	Brighton	
AR	Hertfordshire C.C.	Chelmsford	
AS	Nairnshire C.C.	Inverness	
AT	Kingston-U-Hull C.B.C.	Nottingham	
AU	Nottingham C.B.C.	Nottingham	
AV	Aberdeenshire C.C.	Peterborough	

¹ originally issued by Southampton C.C.
² MAN only issued by Isle of Man

5

MARK	PRE-1974	POST-1974	1980 CHANGE
AW	Shropshire C.C.	Shrewsbury	
AX	Monmouthshire C.C.	Cardiff	
AY	Leicestershire C.C.	Leicester	
B	Lancashire C.C.	—	—
BA	Salford C.B.C.	Manchester	
BB	Newcastle-U-Tyne C.B.C.	Newcastle-U-Tyne	
BC	Leicester C.B.C.	Leicester	
BD	Northampton C.C.	Northampton	
BE	Lincolnshire (Lindsay) C.C.	Grimsby	Lincoln
BF	¹Staffordshire C.C.	Stoke-on-Trent	
BG	Birkenhead C.B.C.	Liverpool	
BH	Buckinghamshire C.C.	Luton	
BJ	East Suffolk C.C.	Ipswich	
BK	Portsmouth C.B.C.	Portsmouth	
BL	Berkshire C.C.	Reading	
BM	Bedfordshire C.C.	Luton	
BN	Bolton C.B.C.	Bolton	Manchester
BO	Cardiff C.B.C.	Cardiff	
BP	West Sussex C.C.	Portsmouth	
BR	Sunderland C.B.C.	Durham	Newcastle-U-Tyne
BS	Orkney C.C.	Kirkwall	Inverness
BT	East Riding of Yorkshire C.C.	York	Leeds
BU	Oldham C.B.C.	Manchester	
BV	Blackburn C.B.C.	Preston	
BW	Oxfordshire C.C.	Oxford	
BX	Carmarthenshire C.C.	Haverfordwest	
BY	Croydon C.B.C.	London NW	
C	West Riding of Yorkshire C.C.	—	—
CA	Denbighshire C.C.	Chester	
CB	Blackburn C.B.C.	Bolton	Manchester
CC	Caernarvonshire C.C.	Bangor	
CD	Brighton C.B.C.	Brighton	
CE	Cambridgeshire C.C.	Cambridge	Peterborough
CF	West Suffolk C.C.	Reading	
CG	Hampshire C.C.	Salisbury	Bournemouth
CH	Derby C.B.C.	Nottingham	
CJ	Herefordshire C.C.	Hereford	Gloucester
CK	Preston C.B.C.	Preston	
CL	Norwich C.B.C.	Norwich	
CM	Birkenhead C.B.C.	Liverpool	
CN	Gateshead C.B.C.	Newcastle-U-Tyne	
CO	Plymouth C.B.C.	Exeter	
CP	Halifax C.B.C.	Huddersfield	
CR	Southampton C.B.C.	Portsmouth	
CS	Ayrshire C.C.	Ayr	Glasgow
CT	Lincolnshire (Kesteven) C.C.	Boston	Lincoln
CU	South Shields C.B.C.	Newcastle-U-Tyne	
CV	Cornwall C.C.	Truro	
CW	Burnley C.B.C.	Preston	

¹ originally issued by Dorset C.C.

MARK	PRE-1974	POST 1974	1980 CHANGE
CX	Huddersfield C.B.C.	Huddersfield	
CY	¹Swansea C.B.C.	Swansea	
D	Kent C.C.	—	—
DA	Wolverhampton C.B.C.	Birmingham	
DB	Stockport C.B.C.	Manchester	
DC	Middlesbrough C.B.C.	Middlesbrough	
DD	Gloucestershire C.C.	Gloucester	•
DE	Pembrokeshire C.C.	Haverfordwest	
DF	²Gloucestershire C.C.	Gloucester	
DG	Gloucestershire C.C.	Gloucester	
DH	Walsall C.B.C.	Dudley	
DJ	St. Helens C.B.C.	Warrington	Liverpool
DK	Rochdale C.B.C.	Bolton	Manchester
DL	Isle of Wight C.C.	Newport (I.O.W)	Portsmouth
DM	Flintshire C.C.	Chester	
DN	York C.B.C.	York	Leeds
DO	Lincolnshire (Holland) C.C.	Boston	Lincoln
DP	Reading C.B.C.	Reading	
DR	³Plymouth C.B.C.	Exeter	
DS	Peebles-shire C.C.	Glasgow	
DT	Doncaster C.B.C.	Sheffield	
DU	Coventry C.B.C.	Coventry	
DV	Devon C.C.	Exeter	
DW	Newport (Mon) C.B.C.	Cardiff	
DX	Ipswich C.B.C.	Ipswich	
DY	Hastings C.B.C.	Hastings	Brighton
E	Staffordshire C.C.	—	—
EA	West Bromwich C.B.C.	Dudley	
EB	⁴Isle of Ely C.C.	Cambridge	Peterborough
EC	Westmorland C.C.	Kendal	Preston
ED	Warrington C.B.C.	Warrington	Liverpool
EE	Grimsby C.B.C.	Grimsby	Lincoln
EF	West Hartlepool C.B.C.	Middlesbrough	
EG	⁵Soke of Peterborough C.C.	Peterborough	
EH	⁶Stoke-on-Trent C.B.C.	Stoke-on-Trent	
EJ	Cardiganshire C.C.	Aberystwyth	Bangor
EK	Wigan C.B.C.	Warrington	Liverpool
EL	Bournemouth C.B.C.	Bournemouth	
EM	Bootle C.B.C.	Liverpool	
EN	Bury C.B.C.	Bolton	Manchester
EO	Barrow-in-Furness C.B.C.	Barrow-in-Furness	Preston
EP	Montgomeryshire C.C.	Swansea	
ER	Cambridgeshire C.C.	Cambridge	Peterborough
ES	Perthshire C.C.	Dundee	

¹ SCY issued by Truro for Isles of Scilly vehicles
² originally allocated to Northampton
³ issued by Devonport B.C. until absorbed by Plymouth
⁴ later allocated to Cambridge
⁵ later allocated to Huntingdon
⁶ issued by Hanley until absorbed by Stoke-on-Trent

MARK	PRE-1974	POST-1974	1980 CHANGE
ET	Rotherham C.B.C.	Sheffield	
EU	Breconshire C.C.	Bristol	
EV	Essex C.C.	Chelmsford	
EW	Huntingdonshire C.C.	Peterborough	
EX	Gt. Yarmouth C.B.C.	Norwich	
EY	Angelsey C.C.	Bangor	
F	Essex C.C.	—	—
FA	Burton-on-Trent C.B.C.	Stoke-on-Trent	
FB	Bath C.B.C.	Bristol	
FC	Oxford C.B.C.	Oxford	
FD	Dudley C.B.C.	Dudley	
FE	Lincoln C.B.C.	Lincoln	
FF	Merionethshire C.C.	Aberystwyth	Bangor
FG	Fife C.C.	Brighton	
FH	Gloucester C.B.C.	Gloucester	
FJ	Exeter C.B.C.	Exeter	
FK	Worcester C.B.C.	Dudley	
FL	¹Soke of Peterborough C.C.	Peterborough	
FM	Chester C.B.C.	Chester	
FN	Canterbury C.B.C.	Canterbury	Maidstone
FO	Radnorshire C.C.	Hereford	Gloucester
FP	Rutland C.C.	Leicester	
FR	Blackpool C.B.C.	Preston	
FS	Edinburgh B.C.	Edinburgh	
FT	Tynemouth C.B.C.	Newcastle-U-Tyne	
FU	Lincolnshire (Lindsey) C.C.	Grimsby	Lincoln
FV	Blackpool C.B.C.	Preston	
FW	Lincolnshire (Parts of Lindsey) C.C.	Lincoln	
FX	Dorset C.C.	Bournemouth	
FY	Southport C.B.C.	Liverpool	
G	Glasgow B.C.	—	—
GA	Glasgow B.C.	Glasgow	
GB	Glasgow B.C.	Glasgow	
GC	London C.C.	London SW	
GD	Glasgow B.C.	Glasgow	
GE	Glasgow B.C.	Glasgow	
GF	London C.C.	London SW	
GG	Glasgow C.C.	Glasgow	
GH	London C.C.	London SW	
GJ	London C.C.	London SW	
GK	London C.C.	London SW	
GL	Bath C.B.C.	Truro	
GM	Motherwell & Wishaw B.C.	Reading	
GN	London C.C.	London SW	
GO	London C.C.	London SW	
GP	London C.C.	London SW	
GR	Sunderland C.B.C.	Durham	Newcastle-U-Tyne
GS	Perthshire C.C.	Luton	

¹ later allocated to Huntingdon

MARK	PRE-1974	POST-1974	1980 CHANGE
GT	London C.C.	London SW	
GU	London C.C.	London SE	
GV	West Suffolk C.C.	Ipswich	
GW	London C.C.	London SE	
GX	London C.C.	London SE	
GY	London C.C.	London SE	
H	Middlesex C.C.	—	—
HA	Smethwick C.B.C.	Dudley	
HB	Merthyr Tydfil C.B.C.	Cardiff	
HC	Eastbourne C.B.C.	Brighton	
HD	Dewsbury C.B.C.	Huddersfield	
HE	Barnsley C.B.C.	Sheffield	
HF	Wallasey C.B.C.	Liverpool	
HG	Burnley C.B.C.	Preston	
HH	Carlisle C.B.C.	Carlisle	
HJ	Southend-on-Sea C.B.C.	Chelmsford	
HK	Essex C.C.	Chelmsford	
HL	Wakefield C.B.C.	Sheffield	
HM	East Ham C.B.C.	London Central	
HN	Darlington C.B.C.	Middlesbrough	
HO	Hampshire C.C.	Salisbury	Bournemouth
HP	Coventry C.B.C.	Coventry	
HR	Wiltshire C.C.	Swindon	
HS	Renfrewshire C.C.	Glasgow	
HT	Bristol C.B.C.	Bristol	
HU	Bristol C.B.C.	Bristol	
HV	East Ham C.B.C.	London Central	
HW	Bristol C.B.C.	Bristol	
HX	Middlesex C.C.	London Central	
HY	Bristol C.B.C.	Bristol	
	Durham C.C	—	—
A	Stockport C.B.C.	Manchester	
B	Berkshire C.C.	Reading	
C	Caernarvonshire C.C.	Bangor	
D	West Ham C.B.C.	London Central	
E	'Isle of Ely C.C.	Peterborough	
F	Leicester C.B.C.	Leicester	
G	Canterbury C.B.C.	Maidstone	
H	Hertfordshire C.C.	Reading	
J	London C.C.	Canterbury	Maidstone
K	Eastbourne C.B.C.	Hastings	Brighton
L	Lincolnshire (Holland) C.C.	Boston	Lincoln
M	Westmorland C.C.	Reading	
N	Southend-on-Sea C.B.C.	Chelmsford	
O	Oxford C.B.C.	Oxford	
P	Wigan C.B.C.	Warrington	Liverpool
R	Northumberland C.C.	Newcastle-U-Tyne	
S	Ross & Cromarty C.C.	Stornoway	Inverness

later allocated to Cambridge

MARK	PRE-1974	POST-1974	1980 CHANGE
JT	Dorset C.C.	Bournemouth	
JU	Leicestershire C.C.	Leicester	
JV	Grimsby C.B.C.	Grimsby	Lincoln
JW	Wolverhampton C.B.C.	Birmingham	
JX	Halifax C.B.C.	Huddersfield	
JY	Plymouth C.B.C.	Plymouth	Exeter
K	Liverpool C.B.C.	—	—
KA	Liverpool C.B.C.	Liverpool	
KB	Liverpool C.B.C.	Liverpool	
KC	Liverpool C.B.C.	Liverpool	
KD	Liverpool C.B.C.	Liverpool	
KE	Kent C.C.	Maidstone	
KF	Liverpool C.B.C.	Liverpool	
KG	Cardiff C.B.C.	Cardiff	
KH	Kingston-U-Hull C.B.C.	Kingston-U-Hull	
KJ	Kent C.C.	Maidstone	
KK	Kent C.C.	Maidstone	
KL	Kent C.C.	Maidstone	
KM	Kent C.C.	Maidstone	
KN	Kent C.C.	Maidstone	
KO	Kent C.C.	Maidstone	
KP	Kent C.C.	Maidstone	
KR	Kent C.C.	Maidstone	
KS	Roxburghshire C.C.	St. Boswells	Edinburgh
KT	Kent C.C.	Maidstone	
KU	Bradford C.B.C.	Sheffield	
KV	Coventry C.B.C.	Coventry	
KW	Bradford C.B.C.	Sheffield	
KX	Buckinghamshire C.C.	Luton	
KY	Bradford C.B.C.	Sheffield	
L	Glamorgan C.C.	—	—
LA	London C.C.	London NW	
LB	London C.C.	London NW	
LC	London C.C.	London NW	
LD	London C.C.	London NW	
LE	London C.C.	London NW	
LF	London C.C.	London NW	
LG	Cheshire C.C.	Chester	
LH	London C.C.	London NW	
LJ	Bournemouth C.B.C.	Bournemouth	
LK	London C.C.	London NW	
LL	London C.C.	London NW	
LM	London C.C.	London NW	
LN	London C.C.	London NW	
LO	London C.C.	London NW	
LP	London C.C.	London NW	
LR	London C.C.	London NW	
LS	Selkirkshire C.C.	Stirling	Edinburgh
LT	London C.C.	London NW	
LU	London C.C.	London NW	

MARK	PRE-1974	POST-1974	1980 CHANGE
LV	Liverpool C.B.C.	Liverpool	
LW	London C.C.	London NW	
LX	London C.C.	London NW	
LY	London C.C.	London NW	
M	Cheshire C.C.	—	—
MA	Cheshire C.C.	Chester	
MB	Cheshire C.C.	Chester	
MC	Middlesex C.C.	London NE	
MD	Middlesex C.C.	London NE	
ME	Middlesex C.C.	London NE	
MF	Middlesex C.C.	London NE	
MG	Middlesex C.C.	London NE	
MH	Middlesex C.C.	London NE	
MJ	Bedfordshire C.C.	Luton	
MK	Middlesex C.C.	London NE	
ML	Middlesex C.C.	London NE	
MM	Middlesex C.C.	London NE	
MN	Isle of Man	Isle of Man	
MO	Berkshire C.C.	Reading	
MP	Middlesex C.C.	London NE	
MR	Wiltshire C.C.	Swindon	
MS	Stirlingshire C.C.	Stirling	Edinburgh
MT	Middlesex C.C.	London NE	
MU	Middlesex C.C.	London NE	
MV	Middlesex C.C.	London SE	
MW	Wiltshire C.C.	Swindon	
MX	Middlesex C.C.	London SE	
MY	Middlesex C.C.	London SE	
N	Manchester C.B.C.	—	—
NA	Manchester C.B.C.	Manchester	
NB	Manchester C.B.C.	Manchester	
NC	Manchester C.B.C.	Manchester	
ND	Manchester C.B.C.	Manchester	
NE	Manchester C.B.C.	Manchester	
NF	Manchester C.B.C.	Manchester	
NG	Norfolk C.C.	Norwich	
NH	Northampton C.B.C.	Northampton	
NJ	East Sussex C.C.	Brighton	
NK	Hertfordshire C.C.	Luton	
NL	Northumberland C.C.	Newcastle-U-Tyne	
NM	Bedfordshire C.C.	Luton	
NN	Nottinghamshire C.C.	Nottingham	
NO	Essex C.C.	Chelmsford	
NP	Worcestershire C.C.	Worcester	
NR	Leicestershire C.C.	Leicester	
NS	Sutherland C.C.	Glasgow	
NT	Shropshire C.C.	Shrewsbury	
NU	Derbyshire C.C.	Nottingham	
NV	Northamptonshire C.C.	Northampton	
NW	Leeds C.B.C.	Leeds	

MARK	PRE-1974	POST-1974	1980 CHANGE
NX	Warwickshire C.C.	Dudley	
NY	Glamorgan C.C.	Cardiff	
O	Birmingham C.B.C.	—	—
OA	Birmingham C.B.C.	Birmingham	
OB	Birmingham C.B.C.	Birmingham	
OC	Birmingham C.B.C.	Birmingham	
OD	Devon C.C.	Exeter	
OE	Birmingham C.B.C.	Birmingham	
OF	Birmingham C.B.C.	Birmingham	
OG	Birmingham C.B.C.	Birmingham	
OH	Birmingham C.B.C.	Birmingham	
OJ	Birmingham C.B.C.	Birmingham	
OK	Birmingham C.B.C.	Birmingham	
OL	Birmingham C.B.C.	Birmingham	
OM	Birmingham C.B.C.	Birmingham	
ON	Birmingham C.B.C.	Birmingham	
OO	Essex C.C.	Chelmsford	
OP	Birmingham C.B.C.	Birmingham	
OR	Hampshire C.C.	Portsmouth	
OS	Wigtownshire C.C.	Stranraer	Glasgow
OT	Hampshire C.C.	Portsmouth	
OU	Hampshire C.C.	Bristol	
OV	Birmingham C.B.C.	Birmingham	
OW	Southampton C.B.C.	Portsmouth	
OX	Birmingham C.B.C.	Birmingham	
OY	Croydon C.B.C.	London NW	
P	Surrey C.C.	—	—
PA	Surrey C.C.	Guildford	
PB	Surrey C.C.	Guildford	
PC	Surrey C.C.	Guildford	
PD	Surrey C.C.	Guildford	
PE	Surrey C.C.	Guildford	
PF	Surrey C.C.	Guildford	
PG	Surrey C.C.	Guildford	
PH	Surrey C.C.	Guildford	
PJ	Surrey C.C.	Guildford	
PK	Surrey C.C.	Guildford	
PL	Surrey C.C.	Guildford	
PM	East Sussex C.C.	Guildford	
PN	East Sussex C.C.	Brighton	
PO	[1]West Sussex C.C.	Portsmouth	
PP	Buckinghamshire C.C.	Luton	
PR	Dorset C.C.	Bournemouth	
PS	Shetland C.C.	Lerwick	Aberdeen
PT	Durham C.C.	Durham	Newcastle-U-Tyne
PU	Essex C.C.	Chelmsford	
PV	Ipswich C.B.C.	Ipswich	
PW	Norfolk C.C.	Norwich	
PX	West Sussex C.C.	Portsmouth	
PY	North Riding of Yorkshire C.C.	Middlesbrough	

[1]GPO has been issued by London C.C. to the G.P.O.

MARK	PRE-1974	POST-1974	1980 CHANGE
R	Derbyshire C.C.	—	—
RA	Derbyshire C.C.	Nottingham	
RB	Derbyshire C.C.	Nottingham	
RC	Derby C.B.C.	Nottingham	
RD	Reading C.B.C.	Reading	
RE	Staffordshire C.C.	Stoke-on-Trent	
RF	Staffordshire C.C.	Stoke-on-Trent	
RG	Aberdeen B.C.	Newcastle-U-Tyne	
RH	Kingston-U-Hull C.B.C.	Kingston-U-Hull	
RJ	Salford C.B.C.	Manchester	
RK	Croydon C.B.C.	London NW	
RL	Cornwall C.C.	Truro	
RM	Cumberland C.C.	Carlisle	
RN	Preston C.B.C.	Preston	
RO	Hertfordshire C.C.	Luton	
RP	Northamptonshire C.C.	Northampton	
RR	Nottinghamshire C.C.	Nottingham	
RS	Aberdeen B.C.	Aberdeen	
RT	East Suffolk C.C.	Ipswich	
RU	Bournemouth C.B.C.	Bournemouth	
RV	Portsmouth C.B.C.	Portsmouth	
RW	Coventry C.B.C.	Coventry	
RX	Berkshire C.C.	Reading	
RY	Leicester C.B.C.	Leicester	
S	Edinburgh B.C.	—	—
SA	Aberdeenshire C.C.	Aberdeen	
SB	Argyll C.C.	Oban	Glasgow
SC	Edinburgh B.C.	Edinburgh	
SD	Ayrshire C.C.	Ayr	Glasgow
SE	Banffshire C.C.	Keith	Aberdeen
SF	Edinburgh B.C.	Edinburgh	
SG	Edinburgh B.C.	Edinburgh	
SH	Berwickshire C.C.	St. Boswell's	Edinburgh
SJ	Bute	Ayr	Glasgow
SK	Caithness C.C.	Wick	Inverness
SL	Clackmannanshire C.C.	Dundee	
SM	Dumfries-shire C.C.	Dumfries	Carlisle
SN	¹Dumbartonshire C.C.	Dundee	
SO	²Moray C.C.	Aberdeen	
SP	Fife C.C.	Dundee	
SR	³Angus C.C.	Dundee	
SS	⁴East Lothian C.C.	Aberdeen	
ST	Inverness-shire C.C.	Inverness	
SU	Kincordineshire C.C.	Glasgow	
SV	Kinross-shire C.C.	(spare Scottish mark)	
SW	Kircudbrightshire C.C.	Dumfries	Carlisle
SX	⁵West Lothian C.C.	Edinburgh	
SY	Midlothian C.C.	(spare Scottish mark)	

has been issued by London C.C.
originally issued by Elgin
originally issued by Forfar
originally issued by Haddington
originally issued by Linlithgow

13

MARK	PRE-1974	POST-1974	1980 CHANGE
T	Devon C.C.	—	—
TA	Devon C.C.	Exeter	
TB	Lancashire C.C.	Warrington	Liverpool
TC	Lancashire C.C.	Bristol	
TD	Lancashire C.C.	Bolton	Manchester
TE	Lancashire C.C.	Bolton	Manchester
TF	Lancashire C.C.	Reading	
TG	Glamorgan C.C.	Cardiff	
TH	Carmarthenshire C.C.	Swansea	
TJ	Lancashire C.C.	Liverpool	
TK	Dorset C.C.	Plymouth	Exeter
TL	Lincolnshire (Kesteven) C.C.	Lincoln	
TM	Bedfordshire C.C.	Luton	
TN	Newcastle-U-Tyne C.B.C.	Newcastle-U-Tyne	
TO	Nottingham C.B.C.	Nottingham	
TP	Portsmouth C.B.C.	Portsmouth	
TR	Southampton C.B.C.	Portsmouth	
TS	Dundee B.C.	Dundee	
TT	Devon C.C.	Exeter	
TU	Cheshire C.C.	Chester	
TV	Nottingham C.B.C.	Nottingham	
TW	Essex C.C.	Chelmsford	
TX	Glamorgan C.C.	Cardiff	
TY	Northumberland C.C.	Newcastle-U-Tyne	
U	Leeds C.B.C.	—	—
UA	Leeds C.B.C.	Leeds	
UB	Leeds C.B.C.	Leeds	
UC	London C.C.	London Central	
UD	Oxfordshire C.C.	Oxford	
UE	Warwickshire C.C.	Dudley	
UF	Brighton C.B.C.	Brighton	
UG	Leeds C.B.C.	Leeds	
UH	Cardiff C.B.C.	Cardiff	
UJ	Shropshire C.C.	Shrewsbury	
UK	Wolverhampton C.B.C.	Birmingham	
UL	London C.C.	London Central	
UM	Leeds C.B.C.	Leeds	
UN	Denbighshire C.C.	Barnstaple	Exeter
UO	Devon C.C.	Barnstaple	Exeter
UP	Durham C.C.	Durham	Newcastle-U-Tyne
UR	Hertfordshire C.C.	Luton	
US	¹Glasgow C.C.	Glasgow	
UT	Leicestershire C.C.	Leicester	
UU	London C.C.	London Central	
UV	London C.C.	London Central	
UW	London C.C.	London Central	
UX	Shropshire C.C.	Shrewsbury	
UY	Worcestershire C.C.	Worcester	
V	Lanarkshire C.C.	—	—
VA	Lanarkshire C.C.	Cambridge	Peterborough

¹ issued by Govan until absorbed by Glasgow

MARK	PRE-1974	POST 1974	1980 CHANGE
B	Croydon C.B.C.	Canterbury	Maidstone
C	Coventry C.B.C.	Coventry	
D	Lanarkshire C.C.	Luton	
E	Cambridgeshire C.C.	Cambridge	Peterborough
F	Norfolk C.C.	Norwich	
G	Norwich C.B.C.	Norwich	
H	Huddersfield C.B.C.	Huddersfield	
J	Herefordshire C.C.	Hereford	Gloucester
K	Newcastle-U-Tyne C.B.C.	Newcastle-U-Tyne	
L	Lincoln C.B.C.	Lincoln	
M	Manchester C.B.C.	Manchester	
N	North Riding of Yorkshire C.C.	Middlesbrough	
O	Nottinghamshire C.C.	Nottingham	
P	Birmingham C.B.C.	Birmingham	
R	Manchester C.B.C.	Manchester	
S	Greenock B.C.	Luton	
T	Stoke-on-Trent C.B.C.	Stoke-on-Trent	
U	Manchester C.B.C.	Manchester	
V	Northampton C.B.C.	Northampton	
W	Essex C.C.	Chelmsford	
X	Essex C.C.	Chelmsford	
Y	York C.B.C.	York	Leeds
W	Sheffield C.B.C.	—	—
WA	Sheffield C.B.C.	Sheffield	
WB	Sheffield C.B.C.	Sheffield	
WC	Essex C.C.	Chelmsford	
WD	Warwickshire C.C.	Dudley	
WE	Sheffield C.B.C.	Sheffield	
WF	East Riding of Yorkshire C.C.	Sheffield	
WG	Stirlingshire C.C.	Sheffield	
WH	Bolton C.B.C.	Bolton	Manchester
WJ	Sheffield C.B.C.	Sheffield	
WK	Coventry C.B.C.	Coventry	
WL	Oxford C.B.C.	Oxford	
WM	Southport C.B.C.	Liverpool	
WN	Swansea C.B.C.	Swansea	
WO	Monmouthshire C.C.	Cardiff	
WP	Worcestershire C.C.	Worcester	
WR	West Riding of Yorkshire C.C.	Leeds	
WS	'Edinburgh C.C.	Bristol	
WT	West Riding of Yorkshire C.C.	Leeds	
WU	West Riding of Yorkshire C.C.	Leeds	
WV	Wiltshire C.C.	Brighton	
WW	West Riding of Yorkshire C.C.	Leeds	
WX	West Riding of Yorkshire C.C.	Leeds	
WY	West Riding of Yorkshire C.C.	Leeds	
	Northumberland C.C	—	—
A	London C.C.	(spare mark)	Kirkcaldy
B	London C.C.	(spare mark)	Coatbridge
C	London C.C.	(spare mark)	Solihull

originally issued by Leith B.C.

15

MARK	PRE-1974	POST-1974	1980 CHANGE
XD	London C.C.	(spare mark)	Luton
XE	London C.C.	(spare mark)	Luton
XF	London C.C.	(spare mark)	Torbay
XG	Middlesbrough C.B.C.	(spare mark)	
XH	London C.C.	(spare mark)	
XJ	Manchester C.B.C.	(spare mark)	
XK	London C.C.	(spare mark)	
XL	London C.C.	(spare mark)	
XM	London C.C.	(spare mark)	
XN	London C.C.	(spare mark)	
XO	London C.C.	(spare mark)	
XP	London C.C.	(spare mark)	
XR	London C.C.	(spare mark)	
XS	Paisley B.C.	(spare mark)	
XT	London C.C.	(spare mark)	
XU	London C.C.	(spare mark)	
XV	London C.C.	(spare mark)	
XW	London C.C.	(spare mark)	
XX	London C.C.	(spare mark)	
XY	London C.C.	(spare mark)	
Y	Somerset C.C.	—	—
YA	Somerset C.C.	Taunton	
YB	Somerset C.C.	Taunton	
YC	Somerset C.C.	Taunton	
YD	Somerset C.C.	Taunton	
YE	London C.C.	London Central	
YF	London C.C.	London Central	
YG	West Riding of Yorkshire C.C.	Leeds	
YH	London C.C.	London Central	
YJ	Dundee B.C.	Brighton	
YK	London C.C.	London Central	
YL	London C.C.	London Central	
YM	London C.C.	London Central	
YN	London C.C.	London Central	
YO	London C.C.	London Central	
YP	London C.C.	London Central	
YR	London C.C.	London Central	
YS	[1]Glasgow B.C.	Glasgow	
YT	London C.C.	London Central	
YU	London C.C.	London Central	
YV	London C.C.	London Central	
YW	London C.C.	London Central	
YX	London C.C.	London Central	
YY	London C.C.	London Central	

[1] originally issued by Partick B.C.

16

Current Index Mark Allocations ... by L.V.L.O.

Aberdeen	PS	RS	SA	SE	SO	SS							
Bangor	CC	EJ	EY	FF	JC								
Birmingham	DA	JW	OA	OB	OC	OE	OF	OG	OH	OJ	OK	OL	OM ON
	OP	OV	OX	UK	VP								
Bournemouth	AA	CG	EL	FX	HO	JT	LJ	PR	RU				
Brighton	AP	CD	DY	FG	HC	JK	NJ	PN	UF	WV	YJ		
Bristol	AE	EU	FB	HT	HU	HW	HY	OU	TC	WS			
Cardiff	AX	BO	DW	HB	KG	NY	TG	TX	UH	WO			
Carlisle	AO	HH	RM	SM	SW								
Chelmsford	AR	EV	HJ	HK	JN	NO	OO	PU	TW	VW	VX	WC	
Chester	CA	DM	FM	LG	MA	MB	TU						
Coatbridge	XB												
Coventry	AC	DU	HP	KV	RW	VC	WK						
Dudley	DH	EA	FD	FK	HA	NX	UE	WD					
Dundee	ES	SL	SN	SP	SR	TS							
Edinburgh	FS	KS	LS	MS	SC	SF	SG	SH	SX				
Exeter	CO	DR	DV	FJ	JY	OD	TA	TK	TT	UN	UO		
Glasgow	CS	DS	GA	GB	GD	GE	GG	HS	NS	OS	SB	SD	SJ SU
	US	YS											
Gloucester	AD	CJ	DD	DF	DG	FH	FO	VJ					
Guildford	PA	PB	PC	PD	PE	PF	PG	PH	PJ	PK	PL	PM.	
Haverfordwest	BX	DE											
Huddersfield	CP	CX	HD	JX	VH								
Inverness	AS	BS	JS	SK	ST								
Ipswich	BJ	DX	GV	PV	RT								
Isle of Man	MN	MAN											
Kingston-upon-Hull	AG	AT	KH	RH									
Kirkcaldy	XA												
Leeds	BT	DN	NW	UA	UB	UG	UM	VY	WR	WT	WU	WW	WX WY
	YG												
Leicester	AY	BC	FP	JF	JU	NR	RY	UT					
Lincoln	BE	CT	DO	EE	FE	FU	FW	JL	JV	TL	VL.		
Liverpool	BG	CM	DJ	ED	EK	EM	FY	HF	JP	KA	KB	KC	KD KF
	LV	TB	TJ	WM									
London Central	HM	HV	HX	JD	UC	UL	UU	UV	UW	YE	YF	YH	YK YL
	YM	YN	YO	YP	YR	YT	YU	YV	YW	YX	YY		
London North East	MC	MD	ME	MF	MG	MH	MK	ML	MM	MP	MT	MU	
London North West	BY	LA	LB	LC	LD	LE	LF	LH	LK	LL	LM	LN	LO LP
	LR	LT	LU	LW	LX	LY	OY	RK					
London South East	GU	GW	GX	GY	MV	MX	MY						
London South West	GC	GF	GH	GJ	GK	GN	GO	GP	GT				
Luton	BH	BM	GS	KX	MJ	NK	NM	PP	RO	TM	UR	VD	VS XD
	XE												
Maidstone	FN	JG	JJ	KE	KJ	KK	KL	KM	KN	KO	KP	KR	KT VB
Manchester	BA	BN	BU	CB	DB	DK	EN	JA	NA	NB	NC	ND	NE NF
	RJ	TD	TE	VM	VR	VU	WH						
Middlesbrough	AJ	DC	EF	HN	PY	VN							
Newcastle-u-Tyne	BB	BR	CN	CU	FT	GR	JR	NL	PT	RG	TN	TY	UP VK
Northampton	BD	NH	NV	RP	VV								
Norwich	AH	CL	EX	NG	PW	VF	VG.						
Nottingham	AL	AU	CH	NN	NU	RA	RB	RC	RR	TO	TV	VO	

17

Oxford	BW	FC	JO	UD	WL										
Peterborough	AV	CE	EB	EG	ER	EW	FL	JE	VA	VE					
Portsmouth	BK	BP	CR	DL	OR	OT	OW	PO	PX	RV	TP	TR			
Preston	BV	CK	CW	EC	EO	FR	FV	HG	RN						
Reading	AN	BL	CF	DP	GM	JB	JH	JM	MO	RD	RX	TF			
Sheffield	AK	DT	ET	HE	HL	KU	KW	KY	WA	WB	WE	WF	WG	WJ	
Shrewsbury	AW	NT	UJ	UX											
Solihull	XC														
Stoke-on-Trent	BF	EH	FA	RE	RF	VT									
Swansea	CY	EP	TH	WN											
Swindon	AM	HR	MR	MW											
Taunton	YA	YB	YC	YD											
Torbay	XF														
Truro	AF	CV	GL	RL	SCY										
Worcester	AB	NP	UY	WP											
Spare	SV	SY	XG	XH	XJ	XK	XL	XM	XN	XO	XP	XR	XS	XT	
	XU	XV	XW	XX	XY										

'Q' Registration Marks

Prior to the 1st August 1983 the following 'Q' two letter registration marks were issued to vehicles temporarily imported from abroad:

QA	London	QE	London	QJ	London	QN	London
QB	London	QF	London	QK	London	QP	London
QC	London	QG	London	QL	London	QQ	London
QD	London	QH	London	QM	London	QS	London

'Q' prefix marks were introduced from the 1st August 1983 in the format

Q 123 ABC etc

The purpose of this prefix was that it could be allocated when the authenticity of the vehicle being registered is in doubt, for example:

a) when there is insufficient documentation to prove its age

b) when it has been radically altered or re-built from its original specification.

When the D.V.L.C. is satisfied as to the vehicle's age, condition etc an appropriate registration mark close to the date of first use abroad can be allocated.

Prefix and Suffix Letters

In 1963, when the number of unused registration marks were seen to be finite, it was decided to use suffix letters in order to avoid re-using marks already issued. Additionally, the suffix letter would also give an approximate date of registration. For example, if a car bore the registration ABC 123 A this would indicate that it was registered in Leicester between January 1st 1963 and December 31st 1963.

The suffix system worked its way through the usable alphabet to the letter Y. Then the system was reversed, the suffix letter becoming a prefix i.e. A 123 ABC. This present series will probably run until the whole of the alphabet has been used again, presumably through to Y in the years 2003/2004.

It should be noted that the letters I, O, Q, U and Z were not used for suffixes as they may have caused confusion with other letters and figures and Irish registration marks already issued.

Suffix	Registration Period			Prefix	Registration Period		
A	January 1st 1963 -	Dec 31st	1963	A	August 1st 1983 -	July 31st	1984
B	January 1st 1964 -	Dec 31st	1964	B	August 1st 1984 -	July 31st	1985
C	January 1st 1965 -	Dec 31st	1965	C	August 1st 1985 -	July 31st	1986
D	January 1st 1966 -	Dec 31st	1966	D	August 1st 1986 -	July 31st	1987
E	January 1st 1967 -	July 31st	1967	E	August 1st 1987 -	July 31st	1988
F	August 1st 1967 -	July 31st	1968	F	August 1st 1988 -		
G	August 1st 1968 -	July 31st	1969				
H	August 1st 1969 -	July 31st	1970				
J	August 1st 1970 -	July 31st	1971				
K	August 1st 1971 -	July 31st	1972				
L	August 1st 1972 -	July 31st	1973				
M	August 1st 1973 -	July 31st	1974				
N	August 1st 1974 -	July 31st	1975				
P	August 1st 1975 -	July 31st	1976				
R	August 1st 1976 -	July 31st	1977				
S	August 1st 1977 -	July 31st	1978				
T	August 1st 1978 -	July 31st	1979				
V	August 1st 1979 -	July 31st	1980				
W	August 1st 1980 -	July 31st	1981				
X	August 1st 1981 -	July 31st	1982				
Y	August 1st 1982 -	July 31st	1983				

Isle of Man

Although the main MN and obvious MAN marks are included in the previous mai‌ listing a summary follows of the _MN combinations issued, which show severa‌ exceptions. One to three figure combinations were used with them.

BMN	EMN	HMN	LMN	OMN	TMN	WMN
CMN	FMN	JMN	MMN	PMN	UMN	XMN
DMN	GMN	KMN	NMN	RMN	VMN	YMN

The following Suffix/Prefix system has been used, which does not run concurren‌ with that on the mainland. Both suffix and prefix have been only used with the MAN mark.

Suffix Period

A	May 1974	- August 1974
B	August 1974	- November 1974
C	November 1974	- February 1975
D	February 1975	- May 1975
E	May 1975	- July 1975
F	July 1975	- October 1975
G	October 1975	- January 1976
H	January 1976	- April 1976
J	April 1976	- June 1976
K	June 1976	- August 1976
L	August 1976	- October 1976
M	October 1976	- January 1977
N	January 1977	- April 1977
P	April 1977	- June 1977
R	June 1977	- November 1979

Prefix Period

F	November 1979	- February 1980
G	February 1980	- April 1980
H	April 1980	- June 1980
J	June 1980	- August 1980
K	August 1980	- November 1980
L	November 1980	- February 1981
M	February 1981	- March 1981
N	March 1981	- May 1981
O	May 1981	- August 1981
P	August 1981	- October 1981
R	October 1981	- February 1982
T	February 1982	- April 1982
U	April 1982	- June 1982
V	June 1982	- September 1982
W	September 1982	- January 1983
X	January 1983	- March 1983
Y	March 1983	- May 1983

Between May 1983 and July 1985 the marks MAN 1000 - 9999 have been used, being reversed (1000-9999 MAN) for the period July 1985 to August 1987. A new sequence then followed and this will continue well into future viz:

BMN 1-999 A	August -September 1987
BMN 1-999 B	September - November 1987
BMN 1-999 C	November 1987-

After BMN 1-999 Y has been reached the mark CMN will be used and the same sequence will then repeat itself allowing many years of potential use.

Trade Plates in use are MNA I - 566.

Channel Islands

Vehicle registrations on the island of Guernsey are a multi-digit number which can be up to five numerals in length.
For Jersey a letter J precedes the multi-digit number which, again, can be up to five numbers in length.
Prefix and suffix letters to indicate the year of registration have not yet been introduced to either island.

Trade Plates

These are normally composed of a two letter registration mark along with a two or three digit number. The mark is normally displayed in red letters and numbers on a white background with red border and can be attached to most vehicles.

Trade plates are licenced to specific users (such as large fleet operators, vehicle retailers/delivery companies, vehicle repairers and garages etc) to enable vehicles which are not normally taxed or registered to be moved over public roads. They are normally given a registration mark from within a D.V.L.O.'s own marks, not a national allocation.

Cherished Registration Marks

It is becoming increasingly common, especially with regard to private cars and public service vehicles, to see an allocated registration mark which bears no indication to the vehicles true age or place of first registration. This is probably due to the mark being purchased from the owner of a vehicle which has been de-registered and probably scrapped. Often the mark can spell a short word (ie BUG 23) or indicates the owners initials. For example, TNB 456 would be of interest to the compiler!

In order to obtain a particular registration mark it must first be confirmed that it is available for sale and not already in use. The D.V.L.C. or a private dealer (who advertise regularly in the popular press) can then be asked to effect the purchase and deal with the necessary transfer documents.

Today, the business of cherished plates is a rapidly growing one, especially when some of the more sought after marks can demand a price in excess of £6000!

IRELAND 1903-1986

The registrations which covered the whole of Ireland, up to the end of 1986 included either, or both, the letters I and Z, which were not used anywhere else in the British Isles. A series of numbers up to four characters in length accompanied (ie WZD 497 or perhaps FI 3664). No suffix or prefix letters have been introduced

Mark	Authority	Mark	Authority	Mark	Authority
AI *	Meath City C.	IX *	Longford C.C.	YZ	Londonderry C.C.
AZ	Belfast C.B.C.	IY *	Louth C.C.	Z *	Dublin
BI *	Monaghan C.C.	IZ *	Mayo C.C.	ZA *	Dublin C.B.C.
BZ	Down C.C.	JI	Tyrone C.C.	ZB *	Cork C.C.
¹CI *	Laoighis C.C.	JZ	Down C.C.	ZC *	Dublin C.B.C.
CZ	Belfast	KI *	Waterford C.B.C.	ZD *	Dublin C.B.C.
DI *	Roscommon C.C.	KZ	Antrim C.C.	ZE *	Dublin C.C.
DZ	Antrim C.C.	LI *	West Meath C.C.	ZF *	Cork C.C.
EI *	Sligo C.C.	LZ	Armagh C.C.	ZH *	Dublin C.B.C.
EZ	Belfast C.B.C.	MI. *	Wexford C.C.	ZI *	Dublin C.B.C.
FI *	N.R. Tipperary C.C.	MZ	Belfast C.B.C.	ZJ *	Dublin C.B.C.
FZ	Belfast C.B.C.	NI *	Wicklow C.C.	ZK *	Cork C.C.
GZ	Belfast C.B.C.	NZ	Londonderry C.C.	ZL *	Dublin C.B.C.
HI *	S.R. Tipperary C.C.	OI	Belfast C.B.C.	ZM *	Galway C.C.
HZ	Tyrone C.C.	OZ	Belfast C.B.C.	ZN *	Meath C.C.
IA	Antrim C.C.	PI *	Cork C.B.C.	ZO *	Dublin C.C.
IB	Armagh C.C.	PZ	Belfast C.B.C.	ZP *	Donegal C.C.
IC *	Carlow C.C.	RI *	Dublin C.C.	ZR *	Wexford C.C.
ID *	Cavan C.C.	RZ	Antrim C.C.	ZT *	Cork C.C.
IE *	Clare C.C.	SZ	Down C.C.	ZU *	Dublin C.C./C.B.C.
IF *	Cork C.C.	TI *	Limerick C.B.C.	ZW *	Kildare C.C.
IH *	Donegal C.C.	TZ	Belfast C.B.C.	ZX *	Kerry C.C.
IJ	Down C.C.			ZY *	Louth C.C.
IK *	Dublin C.C.	UI	Londonderry C.B.C.	³ZZ *	Dublin C.B.C.
IL	Fermanagh C.C.	UZ	Belfast C.B.C.		
IM *	Galway C.C.	VZ	Tyrone C.C.		
IN *	Kerry C.C.	WI *	Waterford C.C.		
IO *	Kildare C.C.	WZ	Belfast C.B.C.		
IP *	Kilkenny C.C.	XI	Belfast C.B.C.		
²IR *	Offaly C.C.	XZ	Armagh C.B.C.		
IT *	Leitrim C.C.				
IU *	Limerick C.C.	YI *	Dublin C.B.C		
IW	Londonderry C.C.				

* indicates mark superceded by the new Republic system (see page 23)
¹ earlier known as Queens County.
² earlier known as Kings County.
³ (for vehicles temporarily imported from abroad)

IRELAND 1987 ON

As from January 1st, 1987 the Republic of Ireland (Eire) adopted a new registration system. This comprises the last two numerals of the year followed by a one or two letter code, depending on whether the registration authority is a City or County, or both. This in turn is followed by a maximum of up to four numerals. Thus 87 CW 1234 would be a vehicle first registered in 1987 by Carlow County.

Imported vehicles will bear the date of first registration, for example, a car imported from England during 1987, which was first registered in 1982, would carry 82 as its first two numerals. At the time of writing it is uncertain whether the new system will be retrospective for pre-1987 Republic registered vehicles.

Pre-1987 registration marks asterisked on the previous page will no longer be issued by the Republic. Those remaining belong to authorities in Northern Ireland and will continue to be issued.

New number plates in the Republic must now be of a uniform design, with black letters on a white reflective background. All existing registration plates not conforming to the new regulations were made illegal from January 1987.

The new registration marks effective from 1st January 1987 are:

Mark	Authority	Mark	Authority
C	Cork City and County	MH	Meath County
CE	Clare County	MN	Monaghan County
CN	Cavan County	MO	Mayo County
CW	Carlow County		
		OY	Offaly County
D	Dublin City and County		
DL	Donegal County	RN	Roscommon County
G	Galway City and County	SO	Sligo County
KE	Kildare County	TN	Tipperary County (NR)
KK	Kilkenny County	TS	Tipperary County (SR)
KY	Kerry County		
		W	Waterford City
L	Limerick City	WD	Waterford County
LD	Longford County	WH	Westmeath County
LH	Louth County	WW	Wicklow County
LK	Limerick County	WX	Wexford County
LM	Leitrim County		
LS	Laoighir County		

Alphabetical List of Known Registration Marks Issued

The following pages give every combination of letters (excluding prefix and suffix) to have been issued as part of a registration mark. The previous sections can be used to identify the issuing authority or D.V.L.O.

These listings can be used simply as a checklist or to mark off/underline as each one is 'spotted' during travels, or by the roadside.

Part One deals with England, Wales, Scotland and the Isle of Man whilst Part Two is Ireland and Jersey.

PART 1 - ENGLAND, WALES, SCOTLAND, ISLE OF MAN

A	AC	AEB	AGD	AJF	ALH	ANK	APM	ASO	AUR
AA	ACA	AEC	AGE	AJG	ALJ	ANL	APN	ASP	AUS
AAA	ACB	AED	AGF	AJH	ALK	ANM	APO	ASR	AUT
AAB	ACC	AEE	AGG	AJJ	ALL	ANN	APP	ASS	AUU
AAC	ACD	AEF	AGH	AJK	ALM	ANO	APR	AST	AUV
AAD	ACE	AEG	AGJ	AJL	ALN	ANP	APS	ASU	AUW
AAE	ACF	AEH	AGK	AJM	ALO	ANR	APT	ASV	AUX
AAF	ACG	AEJ	AGL	AJN	ALP	ANS	APU	ASW	AUY
AAG	ACH	AEK	AGM	AJO	ALR	ANT	APV	ASX	
AAH	ACJ	AEL	AGN	AJP	ALS	ANU	APW	ASY	AV
AAJ	ACK	AEM	AGO	AJR	ALT	ANV	APX		AVA
AAK	ACL	AEN	AGP	AJS	ALU	ANW	APY	AT	AVB
AAL	ACM	AEO	AGR	AJT	ALV	ANX		ATA	AVC
AAM	ACN	AEP	AGS	AJU	ALW	ANY	AR	ATB	AVD
AAN	ACO	AER	AGT	AJV	ALX		ARA	ATC	AVE
AAO	ACP	AES	AGU	AJW	ALY	AO	ARB	ATD	AVF
AAP	ACR	AET	AGV	AJX		AOA	ARC	ATE	AVG
AAR	ACS	AEU	AGW	AJY	AM	AOB	ARD	ATF	AVH
AAS	ACT	AEV	AGX		AMA	AOC	ARE	ATG	AVJ
AAT	ACU	AEW	AGY	AK	AMB	AOD	ARF	ATH	AVK
AAU	ACV	AEX		AKA	AMC	AOE	ARG	ATJ	AVL
AAV	ACW	AEY	AH	AKB	AMD	AOF	ARH	ATK	AVM
AAW	ACX		AHA	AKC	AME	AOG	ARJ	ATL	AVN
AAX	ACY	AF	AHB	AKD	AMF	AOH	ARK	ATM	AVO
AAY		AFA	AHC	AKE	AMG	AOJ	ARL	ATN	AVP
	AD	AFB	AHD	AKF	AMH	AOK	ARM	ATO	AVR
AB	ADA	AFC	AHE	AKG	AMJ	AOL	ARN	ATP	AVS
ABA	ADB	AFD	AHF	AKH	AMK	AOM	ARO	ATR	AVT
ABB	ADC	AFE	AHG	AKJ	AML	AON	ARP	ATS	AVU
ABC	ADD	AFF	AHH	AKK	AMM	AOO	ARR	ATT	AVV
ABD	ADE	AFG	AHJ	AKL	AMN	AOP	ARS	ATU	AVW
ABE	ADF	AFH	AHK	AKM	AMO	AOR	ART	ATV	AVX
ABF	ADG	AFJ	AHL	AKN	AMP	AOS	ARU	ATW	AVY
ABG	ADH	AFK	AHM	AKO	AMR	AOT	ARV	ATX	
ABH	ADJ	AFL	AHN	AKP	AMS	AOU	ARW	ATY	AW
ABJ	ADK	AFM	AHO	AKR	AMT	AOV	ARX		AWA
ABK	ADL	AFN	AHP	AKS	AMU	AOW	ARY	AU	AWB
ABL	ADM	AFO	AHR	AKT	AMV	AOX		AUA	AWC
ABM	ADN	AFP	AHS	AKU	AMW	AOY	AS	AUB	AWD
ABN	ADO	AFR	AHT	AKV	AMX		ASA	AUC	AWE
ABO	ADP	AFS	AHU	AKW	AMY	AP	ASB	AUD	AWF
ABP	ADR	AFT	AHV	AKX		APA	ASC	AUE	AWG
ABR	ADS	AFU	AHW	AKY	AN	APB	ASD	AUF	AWH
ABS	ADT	AFV	AHX		ANA	APC	ASE	AUG	AWJ
ABT	ADU	AFW	AHY	AL	ANB	APD	ASF	AUH	AWK
ABU	ADV	AFX		ALA	ANC	APE	ASG	AUJ	AWL
ABV	ADW	AFY	AJ	ALB	AND	APF	ASH	AUK	AWM
ABW	ADX		AJA	ALC	ANE	APG	ASJ	AUL	AWN
ABX	ADY	AG	AJB	ALD	ANF	APH	ASK	AUM	AWO
ABY		AGA	AJC	ALE	ANG	APJ	ASL	AUN	AWP
	AE	AGB	AJD	ALF	ANH	APK	ASM	AUO	AWR
	AEA	AGC	AJE	ALG	ANJ	APL	ASN	AUP	AWS

24

AWT	BAM	BDH	BGD		BMV	BPR	BTM	BWH
AWU	BAN	BDJ	BGE	BK	BMW	BPS	BTN	BWJ
AWV	BAO	BDK	BGF	BKA	BMX	BPT	BTO	BWK
AWW	BAP	BDL	BGG	BKB	BMY	BPU	BTP	BWL
AWX	BAR	BDM	BGH	BKC		BPV	BTR	BWM
AWY	BAS	BDN	BGJ	BKD	BN	BPW	BTS	BWN
	BAT	BDO	BGK	BKE	BNA	BPX	BTT	BWO
AX	BAU	BDP	BGL	BKF	BNB	BPY	BTU	BWP
AXA	BAV	BDR	BGM	BKG	BNC		BTV	BWR
AXB	BAW	BDS	BGN	BKH	BND	BR	BTW	BWS
AXC	BAX	BDT	BGO	BKJ	BNE	BRA	BTX	BWT
AXD	BAY	BDU	BGP	BKK	BNF	BRB	BTY	BWU
AXE		BDV	BGR	BKL	BNG	BRC		BWV
AXF	BB	BDW	BGS	BKM	BNH	BRD	BU	BWW
AXG	BBA	BDX	BGT	BKN	BNJ	BRE	BUA	BWX
AXH	BBB	BDY	BGU	BKO	BNK	BRF	BUB	BWY
AXJ	BBC		BGV	BKP	BNL	BRG	BUC	
AXK	BBD	BE	BGW	BKR	BNM	BRH	BUD	BX
AXL	BBE	BEA	BGX	BKS	BNN	BRJ	BUE	BXA
AXM	BBF	BEB	BGY	BKT	BNO	BRK	BUF	BXB
AXN	BBG	BEC		BKU	BNP	BRL	BUG	BXC
AXO	BBH	BED	BH	BKV	BNR	BRM	BUH	BXD
AXP	BBJ	BEE	BHA	BKW	BNS	BRN	BUJ	BXE
AXR	BBK	BEF	BHB	BKX	BNT	BRO	BUK	BXF
AXS	BBL	BEG	BHC	BKY	BNU	BRP	BUL	BXG
AXT	BBM	BEH	BHD		BNV	BRR	BUM	BXH
AXU	BBN	BEJ	BHE	BL	BNW	BRS	BUN	BXJ
AXV	BBO	BEK	BHF	BLA	BNX	BRT	BUO	BXK
AXW	BBP	BEL	BHG	BLB	BNY	BRU	BUP	BXL
AXX	BBR	BEM	BHH	BLC		BRV	BUR	BXM
AXY	BBS	BEN	BHJ	BLD	BO	BRW	BUS	BXN
	BBT	BEO	BHK	BLE	BOA	BRX	BUT	BXO
AY	BBU	BEP	BHL	BLF	BOB	BRY	BUU	BXP
AYA	BBV	BER	BHM	BLG	BOC		BUV	BXR
AYB	BBW	BES	BHN	BLH	BOD	BS	BUW	BXS
AYC	BBX	BET	BHO	BLJ	BOE	BSA	BUX	BXT
AYD	BBY	BEU	BHP	BLK	BOF	BSB	BUY	BXU
AYE		BEV	BHR	BLL	BOG	BSC		BXV
AYF	BC	BEW	BHS	BLM	BOH	BSD	BV	BXW
AYG	BCA	BEX	BHT	BLN	BOJ	BSE	BVA	BXX
AYH	BCB	BEY	BHU	BLO	BOK	BSF	BVB	BXY
AYJ	BCC		BHV	BLP	BOL	BSG	BVC	
AYK	BCD	BF	BHW	BLR	BOM	BSH	BVD	BY
AYL	BCE	BFA	BHX	BLS	BON	BSJ	BVE	BYA
AYM	BCF	BFB	BHY	BLT	BOO	BSK	BVF	BYB
AYN	BCG	BFC		BLU	BOP	BSL	BVG	BYC
AYO	BCH	BFD		BLV	BOR	BSM	BVH	BYD
AYP	BCJ	BFE	BJ	BLW	BOS	BSN	BVJ	BYE
AYR	BCK	BFF	BJA	BLX	BOT	BSO	BVK	BYF
AYS	BCL	BFG	BJB	BLY	BOU	BSP	BVL	BYG
AYT	BCM	BFH	BJC		BOV	BSR	BVM	BYH
AYU	BCN	BFJ	BJD	BM	BOW	BSS	BVN	BYJ
AYV	BCO	BFK	BJE	BMA	BOX	BST	BVO	BYK
AYW	BCP	BFL	BJF	BMB	BOY	BSU	BVP	BYL
AYX	BCR	BFM	BJG	BMC		BSV	BVR	BYM
AYY	BCS	BFN	BJH	BMD	BP	BSW	BVS	BYN
	BCT	BFO	BJJ	BME	BPA	BSX	BVT	BYO
	BCU	BFP	BJK	BMF	BPB	BSY	BVU	BYP
B	BCV	BFR	BJL	BMG	BPC		BVV	BYR
BA	BCW	BFS	BJM	BMH	BPD	BT	BVW	BYS
BAA	BCX	BFT	BJN	BMJ	BPE	BTA	BVX	BYT
BAB	BCY	BFU	BJO	BMK	BPF	BTB	BVY	BYU
BAC		BFV	BJP	BML	BPG	BTC		BYV
BAD	BD	BFW	BJR	BMM	BPH	BTD	BW	BYW
BAE	BDA	BFX	BJS	BMN	BPJ	BTE	BWA	BYX
BAF	BDB	BFY	BJT	BMO	BPK	BTF	BWB	BYY
BAG	BDC		BJU	BMP	BPL	BTG	BWC	
BAH	BDD	BG	BJV	BMR	BPM	BTH	BWD	
BAJ	BDE	BGA	BJW	BMS	BPN	BTJ	BWE	
BAK	BDF	BGB	BJX	BMT	BPO	BTK	BWF	
BAL	BDG	BGC	BJY	BMU	BPP	BTL	BWG	

C	CCV	CFR	CJM	CMH	CPD		CVV	CYR
CA	CCW	CFS	CJN	CMJ	CPE	CT	CVW	CYS
CAA	CCX	CFT	CJO	CMK	CPF	CTA	CVX	CYT
CAB	CCY	CFU	CJP	CML	CPG	CTB	CVY	CYU
CAC		CFV	CJR	CMM	CPH	CTC		CYV
CAD	CD	CFW	CJS	CMN	CPJ	CTD	CW	CYW
CAE	CDA	CFX	CJT	CMO	CPK	CTE	CWA	CYX
CAF	CDB	CFY	CJU	CMP	CPL	CTF	CWB	CYY
CAG	CDC		CJV	CMR	CPM	CTG	CWC	
CAH	CDD	CG	CJW	CMS	CPN	CTH	CWD	
CAJ	CDE	CGA	CJX	CMT	CPO	CTJ	CWE	
CAK	CDF	CGB	CJY	CMU	CPP	CTK	CWF	
CAL	CDG	CGC		CMV	CPR	CTL	CWG	
CAM	CDH	CGD	CK	CMW	CPS	CTM	CWH	
CAN	CDJ	CGE	CKA	CMX	CPT	CTN	CWJ	
CAO	CDK	CGF	CKB	CMY	CPU	CTO	CWK	
CAP	CDL	CGG	CKC		CPV	CTP	CWL	
CAR	CDM	CGH	CKD	CN	CPW	CTR	CWM	
CAS	CDN	CGJ	CKE	CNA	CPX	CTS	CWN	
CAT	CDO	CGK	CKF	CNB	CPY	CTT	CWO	
CAU	CDP	CGL	CKG	CNC		CTU	CWP	
CAV	CDR	CGM	CKH	CND		CTV	CWR	
CAW	CDS	CGN	CKJ	CNE	CR	CTW	CWS	
CAX	CDT	CGO	CKK	CNF	CRA	CTX	CWT	
CAY	CDU	CGP	CKL	CNG	CRB	CTY	CWU	
	CDV	CGR	CKM	CNH	CRC		CWV	
CB	CDW	CGS	CKN	CNJ	CRD		CWW	
CBA	CDX	CGT	CKO	CNK	CRE	CU	CWX	
CBB	CDY	CGU	CKP	CNL	CRF	CUA	CWY	
CBC		CGV	CKR	CNM	CRG	CUB		
CBD	CE	CGW	CKS	CNN	CRH	CUC		
CBE	CEA	CGX	CKT	CNO	CRJ	CUD	CX	
CBF	CEB	CGY	CKU	CNP	CRK	CUE	CXA	
CBG	CEC		CKV	CNR	CRL	CUF	CXB	
CBH	CED	CH	CKW	CNS	CRM	CUG	CXC	
CBJ	CEE	CHA	CKX	CNT	CRN	CUH	CXD	
CBK	CEF	CHB	CKY	CNU	CRO	CUJ	CXE	
CBL	CEG	CHC		CNV	CRP	CUK	CXF	
CBM	CEH	CHD	CL	CNW	CRR	CUL	CXG	
CBN	CEJ	CHE	CLA	CNX	CRS	CUM	CXH	
CBO	CEK	CHF	CLB	CNY	CRT	CUN	CXJ	
CBP	CEL	CHG	CLC		CRU	CUO	CXK	
CBR	CEM	CHH	CLD	CO	CRV	CUP	CXL	
CBS	CEN	CHJ	CLE	COA	CRW	CUR	CXM	
CBT	CEO	CHK	CLF	COB	CRX	CUS	CXN	
CBU	CEP	CHL	CLG	COC	CRY	CUT	CXO	
CBV	CER	CHM	CLH	COD		CUU	CXP	
CBW	CES	CHN	CLJ	COE	CS	CUV	CXR	
CBX	CET	CHO	CLK	COF	CSA	CUW	CXS	
CBY	CEU	CHP	CLL	COG	CSB	CUX	CXT	
	CEV	CHR	CLM	COH	CSC	CUY	CXU	
CC	CEW	CHS	CLN	COJ	CSD		CXV	
CCA	CEX	CHT	CLO	COK	CSE	CV	CXW	
CCB	CEY	CHU	CLP	COL	CSF	CVA	CXX	
CCC		CHV	CLR	COM	CSG	CVB	CXY	
CCD	CF	CHW	CLS	CON	CSH	CVC		
CCE	CFA	CHX	CLT	COO	CSJ	CVD	CY	
CCF	CFB	CHY	CLU	COP	CSK	CVE	CYA	
CCG	CFC		CLV	COR	CSL	CVF	CYB	
CCH	CFD	CJ	CLW	COS	CSM	CVG	CYC	
CCJ	CFE	CJA	CLX	COT	CSN	CVH	CYD	
CCK	CFF	CJB	CLY	COU	CSO	CVJ	CYE	
CCL	CFG	CJC		COV	CSP	CVK	CYF	
CCM	CFH	CJD	CM	COW	CSR	CVL	CYG	
CCN	CFJ	CJE	CMA	COX	CSS	CVM	CYH	
CCO	CFK	CJF	CMB	COY	CST	CVN	CYJ	
CCP	CFL	CJG	CMC		CSU	CVO	CYK	
CCR	CFM	CJH	CMD	CP	CSV	CVP	CYL	
CCS	CFN	CJJ	CME	CPA	CSW	CVR	CYM	
CCT	CFO	CJK	CMF	CPB	CSX	CVS	CYN	
CCU	CFP	CJL	CMG	CPC	CSY	CVT	CYO	
						CVU	CYP	

D	DCV	DFR	DJM	DMH	DPD	DT	DVV	DYR
DA	DCW	DFS	DJN	DMJ	DPE	DTA	DVW	DYS
DAA	DCX	DFT	DJO	DMK	DPF	DTB	DVX	DYT
DAB	DCY	DFU	DJP	DML	DPG	DTC	DVY	DYU
DAC		DFV	DJR	DMM	DPH	DTD		DYV
DAD	DD	DFW	DJS	DMN	DPJ	DTE	DW	DYW
DAE	DDA	DFX	DJT	DMO	DPK	DTF	DWA	DYX
DAF	DDB	DFY	DJU	DMP	DPL	DTG	DWB	DYY
DAG	DDC		DJV	DMR	DPM	DTH	DWC	
DAH	DDD	DG	DJW	DMS	DPN	DTJ	DWD	
DAJ	DDE	DGA	DJX	DMT	DPO	DTK	DWE	
DAK	DDF	DGB	DJY	DMU	DPP	DTL	DWF	
DAL	DDG	DGC		DMV	DPR	DTM	DWG	
DAM	DDH	DGD	DK	DMW	DPS	DTN	DWH	
DAN	DDJ	DGE	DKA	DMX	DPT	DTO	DWJ	
DAO	DDK	DGF	DKB	DMY	DPU	DTP	DWK	
DAP	DDL	DGG	DKC		DPV	DTR	DWL	
DAR	DDM	DGH	DKD	DN	DPW	DTS	DWM	
DAS	DDN	DGJ	DKE	DNA	DPX	DTT	DWN	
DAT	DDO	DGK	DKF	DNB	DPY	DTU	DWO	
DAU	DDP	DGL	DKG	DNC		DTV	DWP	
DAV	DDR	DGM	DKH	DND		DTW	DWR	
DAW	DDS	DGN	DKJ	DNE	DR	DTX	DWS	
DAX	DDT	DGO	DKK	DNF	DRA	DTY	DWT	
DAY	DDU	DGP	DKL	DNG	DRB		DWU	
	DDV	DGR	DKM	DNH	DRC		DWV	
DB	DDW	DGS	DKN	DNJ	DRD	DU	DWW	
DBA	DDX	DGT	DKO	DNK	DRE	DUA	DWX	
DBB	DDY	DGU	DKP	DNL	DRF	DUB	DWY	
DBC		DGV	DKR	DNM	DRG	DUC		
DBD	DE	DGW	DKS	DNN	DRH	DUD	DX	
DBE	DEA	DGX	DKT	DNO	DRJ	DUE	DXA	
DBF	DEB	DGY	DKU	DNP	DRK	DUF	DXB	
DBG	DEC		DKV	DNR	DRL	DUG	DXC	
DBH	DED	DH	DKW	DNS	DRM	DUH	DXD	
DBJ	DEE	DHA	DKX	DNT	DRN	DUJ	DXE	
DBK	DEF	DHB	DKY	DNU	DRO	DUK	DXF	
DBL	DEG	DHC		DNV	DRP	DUL	DXG	
DBM	DEH	DHD	DL	DNW	DRR	DUM	DXH	
DBN	DEJ	DHE	DLA	DNX	DRS	DUN	DXJ	
DBO	DEK	DHF	DLB	DNY	DRT	DUO	DXK	
DBP	DEL	DHG	DLC		DRU	DUP	DXL	
DBR	DEM	DHH	DLD	DO	DRV	DUR	DXM	
DBS	DEN	DHJ	DLE	DOA	DRW	DUS	DXN	
DBT	DEO	DHK	DLF	DOB	DRX	DUT	DXO	
DBU	DEP	DHL	DLG	DOC	DRY	DUU	DXP	
DBV	DER	DHM	DLH	DOD		DUV	DXR	
DBW	DES	DHN	DLJ	DOE		DUW	DXS	
DBX	DET	DHO	DLK	DOF	DS	DUX	DXT	
DBY	DEU	DHP	DLL	DOG	DSA	DUY	DXU	
	DEV	DHR	DLM	DOH	DSB		DXV	
DC	DEW	DHS	DLN	DOJ	DSC	DV	DXW	
DCA	DEX	DHT	DLO	DOK	DSD	DVA	DXX	
DCB	DEY	DHU	DLP	DOL	DSE	DVB	DXY	
DCC		DHV	DLR	DOM	DSF	DVC		
DCD	DF	DHW	DLS	DON	DSG	DVD	DY	
DCE	DFA	DHX	DLT	DOO	DSH	DVE	DYA	
DCF	DFB	DHY	DLU	DOP	DSJ	DVF	DYB	
DCG	DFC		DLV	DOR	DSK	DVG	DYC	
DCH	DFD	DJ	DLW	DOS	DSL	DVH	DYD	
DCJ	DFE	DJA	DLX	DOT	DSM	DVJ	DYE	
DCK	DFF	DJB	DLY	DOU	DSN	DVK	DYF	
DCL	DFG	DJC		DOV	DSO	DVL	DYG	
DCM	DFH	DJD	DM	DOW	DSP	DVM	DYH	
DCN	DFJ	DJE	DMA	DOX	DSR	DVN	DYJ	
DCO	DFK	DJF	DMB	DOY	DSS	DVO	DYK	
DCP	DFL	DJG	DMC		DST	DVP	DYL	
DCR	DFM	DJH	DMD	DP	DSU	DVR	DYM	
DCS	DFN	DJJ	DME	DPA	DSV	DVS	DYN	
DCT	DFO	DJK	DMF	DPB	DSW	DVT	DYO	
DCU	DFP	DJL	DMG	DPC	DSX	DVU	DYP	
					DSY			

27

E ECV EFR EJM EMH EPD ‌ EVV EYR
EA ECW EFS EJN EMJ EPE ET EVW EYS
EAA ECX EFT EJO EMK EPF ETA EVX EYT
EAB ECY EFU EJP EML EPG ETB EVY EYU
EAC ‌ EFV EJR EMM EPH ETC ‌ EYV
EAD ED EFW EJS EMN EPJ ETD EW EYW
EAE EDA EFX EJT EMO EPK ETE EWA EYX
EAF EDB EFY EJU EMP EPL ETF EWB
EAG EDC ‌ EJV EMR EPM ETG EWC
EAH EDD EG EJW EMS EPN ETH EWD
EAJ EDE EGA EJX EMT EPO ETJ EWE
EAK EDF EGB EJY EMU EPP ETK EWF
EAL EDG EGC ‌ EMV EPR ETL EWG
EAM EDH EGD EK EMW EPS ETM EWH
EAN EDJ EGE EKA EMX EPT ETN EWJ
EAO EDK EGF EKB EMY EPU ETO EWK
EAP EDL EGG EKC ‌ EPV ETP EWL
EAR EDM EGH EKD EN EPW ETR EWM
EAS EDN EGJ EKE ENA EPX ETS EWN
EAT EDO EGK EKF ENB EPY ETT EWO
EAU EDP EGL EKG ENC ‌ ETU EWP
EAV EDR EGM EKH END ‌ ETV EWR
EAW EDS EGN EKJ ENE ER ETW EWS
EAX EDT EGO EKK ENF ERA ETX EWT
EAY EDU EGP EKL ENG ERB ETY EWU
‌ EDV EGR EKM ENH ERC ‌ EWV
EB EDW EGS EKN ENJ ERD ‌ EWW
EBA EDX EGT EKO ENK ERE EU EWX
EBB EDY EGU EKP ENL ERF EUA EWY
EBC ‌ EGV EKR ENM ERG EUB
EBD EE EGW EKS ENN ERH EUC
EBE EEA EGX EKT ENO ERJ EUD EX
EBF EEB EGY EKU ENP ERK EUE EXA
EBG EEC ‌ EKV ENR ERL EUF EXB
EBH EED EH EKW ENS ERM EUG EXC
EBJ EEE EHA EKX ENT ERN EUH EXD
EBK EEF EHB EKY ENU ERO EUJ EXE
EBL EEG EHC ‌ ENV ERP EUK EXF
EBM EEH EHD EL ENW ERR EUL EXG
EBN EEJ EHE ELA ENX ERS EUM EXH
EBO EEK EHF ELB ENY ERT EUN EXJ
EBP EEL EHG ELC ‌ ERU EUO EXK
EBR EEM EHH ELD EO ERV EUP EXL
EBS EEN EHJ ELE EOA ERW EUR EXM
EBT EEO EHK ELF EOB ERX EUS EXN
EBU EEP EHL ELG EOC ERY EUT EXO
EBV EER EHM ELH EOD ‌ EUU EXP
EBW EES EHN ELJ EOE ‌ EUV EXR
EBX EET EHO ELK EOF ES EUW EXS
EBY EEU EHP ELL EOG ESA EUX EXT
‌ EEV EHR ELM EOH ESB EUY EXU
EC EEW EHS ELN EOJ ESC ‌ EXV
ECA EEX EHT ELO EOK ESD ‌ EXW
ECB EEY EHU ELP EOL ESE EV EXX
ECC ‌ EHV ELR EOM ESF EVA EXY
ECD EF EHW ELS EON ESG EVB
ECE EFA EHX ELT EOO ESH EVC
ECF EFB EHY ELU EOP ESJ EVD EY
ECG EFC ‌ ELV EOR ESK EVE EYA
ECH EFD EJ ELW EOS ESL EVF EYB
ECJ EFE EJA ELX EOT ESM EVG EYC
ECK EFF EJB ELY EOU ESN EVH EYD
ECL EFG EJC ‌ EOV ESO EVJ EYE
ECM EFH EJD EM EOW ESP EVK EYF
ECN EFJ EJE EMA EOX ESR EVL EYG
ECO EFK EJF EMB EOY ESS EVM EYH
ECP EFL EJG EMC ‌ EST EVN EYJ
ECR EFM EJH EMD EP ESU EVO EYK
ECS EFN EJJ EME EPA ESV EVP EYL
ECT EFO EJK EMF EPB ESW EVR EYM
ECU EFP EJL EMG EPC ESX EVS EYN
‌ ‌ ‌ ‌ ‌ ESY EVT EYO
‌ ‌ ‌ ‌ ‌ ‌ EVU EYP

28

F	FCV	FFR	FJM	FMH	FPD		FVV	FYR
FA	FCW	FFS	FJN	FMJ	FPE	FT	FVW	FYS
FAA	FCX	FFT	FJO	FMK	FPF	FTA	FVX	FYT
FAB	FCY	FFU	FJP	FML	FPG	FTB	FVY	FYU
FAC		FFV	FJR	FMM	FPH	FTC		FYV
FAD	FD	FFW	FJS	FMN	FPJ	FTD	FW	FYW
FAE	FDA	FFX	FJT	FMO	FPK	FTE	FWA	FYX
FAF	FDB	FFY	FJU	FMP	FPL	FTF	FWB	FYY
FAG	FDC		FJV	FMR	FPM	FTG	FWC	
FAH	FDD	FG	FJW	FMS	FPN	FTH	FWD	
FAJ	FDE	FGA	FJX	FMT	FPO	FTJ	FWE	
FAK	FDF	FGB	FJY	FMU	FPP	FTK	FWF	
FAL	FDG	FGC		FMV	FPR	FTL	FWG	
FAM	FDH	FGD	FK	FMW	FPS	FTM	FWH	
FAN	FDJ	FGE	FKA	FMX	FPT	FTN	FWJ	
FAO	FDK	FGF	FKB	FMY	FPU	FTO	FWK	
FAP	FDL	FGG	FKC		FPV	FTP	FWL	
FAR	FDM	FGH	FKD	FN	FPW	FTR	FWM	
FAS	FDN	FGJ	FKE	FNA	FPX	FTS	FWN	
FAT	FDO	FGK	FKF	FNB	FPY	FTT	FWO	
FAU	FDP	FGL	FKG	FNC		FTU	FWP	
FAV	FDR	FGM	FKH	FND	FR	FTV	FWR	
FAW	FDS	FGN	FKJ	FNE	FRA	FTW	FWS	
FAX	FDT	FGO	FKK	FNF	FRB	FTX	FWT	
FAY	FDU	FGP	FKL	FNG	FRC	FTY	FWU	
FB	FDV	FGR	FKM	FNH	FRD		FWV	
FBA	FDW	FGS	FKN	FNJ	FRE	FU	FWW	
FBB	FDX	FGT	FKO	FNK	FRF	FUA	FWX	
FBC	FDY	FGU	FKP	FNL	FRG	FUB	FWY	
FBD		FGV	FKR	FNM	FRH	FUC		
FBE	FE	FGW	FKS	FNN	FRJ	FUD	FX	
FBF	FEA	FGX	FKT	FNO	FRK	FUE	FXA	
FBG	FEB	FGY	FKU	FNP	FRL	FUF	FXB	
FBH	FEC		FKV	FNR	FRM	FUG	FXC	
FBJ	FED	FH	FKW	FNS	FRN	FUH	FXD	
FBK	FEE	FHA	FKX	FNT	FRO	FUJ	FXE	
FBL	FEF	FHB	FKY	FNU	FRP	FUK	FXF	
FBM	FEG	FHC		FNV	FRR	FUL	FXG	
FBN	FEH	FHD	FL	FNW	FRS	FUM	FXH	
FBO	FEJ	FHE	FLA	FNX	FRT	FUN	FXJ	
FBP	FEK	FHF	FLB	FNY	FRU	FUO	FXK	
FBR	FEL	FHG	FLC		FRV	FUP	FXL	
FBS	FEM	FHH	FLD	FO	FRW	FUR	FXM	
FBT	FEN	FHJ	FLE	FOA	FRX	FUS	FXN	
FBU	FEO	FHK	FLF	FOB	FRY	FUT	FXO	
FBV	FEP	FHL	FLG	FOC		FUU	FXP	
FBW	FER	FHM	FLH	FOD	FS	FUV	FXR	
FBX	FES	FHN	FLJ	FOE	FSA	FUW	FXS	
FBY	FET	FHO	FLK	FOF	FSB	FUX	FXT	
FC	FEU	FHP	FLL	FOG	FSC	FUY	FXU	
FCA	FEV	FHR	FLM	FOH	FSD		FXV	
FCB	FEW	FHS	FLN	FOJ	FSE	FV	FXW	
FCC	FEX	FHT	FLO	FOK	FSF	FVA	FXX	
FCD	FEY	FHU	FLP	FOL	FSG	FVB	FXY	
FCE		FHV	FLR	FOM	FSH	FVC		
FCF	FF	FHW	FLS	FON	FSJ	FVD	FY	
FCG	FFA	FHX	FLT	FOO	FSK	FVE	FYA	
FCH	FFB	FHY	FLU	FOP	FSL	FVF	FYB	
FCJ	FFC		FLV	FOR	FSM	FVG	FYC	
FCK	FFD	FJ	FLW	FOS	FSN	FVH	FYD	
FCL	FFE	FJA	FLX	FOT	FSO	FVJ	FYE	
FCM	FFF	FJB	FLY	FOU	FSP	FVK	FYF	
FCN	FFG	FJC		FOV	FSR	FVL	FYG	
FCO	FFH	FJD	FM	FOW	FSS	FVM	FYH	
FCP	FFJ	FJE	FMA	FOX	FST	FVN	FYJ	
FCR	FFK	FJF	FMB	FOY	FSU	FVO	FYK	
FCS	FFL	FJG	FMC		FSV	FVP	FYL	
FCT	FFM	FJH	FMD	FP	FSW	FVR	FYM	
FCU	FFN	FJJ	FME	FPA	FSX	FVS	FYN	
	FFO	FJK	FMF	FPB	FSY	FVT	FYO	
	FFP	FJL	FMG	FPC		FVU	FYP	

G	GCV	GFR	GJM	GMH	GPD		GVV	GYR
GA	GCW	GFS	GJN	GMJ	GPE	GT	GVW	GYS
GAA	GCX	GFT	GJO	GMK	GPF	GTA	GVX	CYT
GAB	GCY	GFU	GJP	GML	GPG	GTB	GVY	GYU
GAC		GFV	GJR	GMM	GPH	GTC		GYV
GAD	GD	GFW	GJS	GMN	GPJ	GTD	GW	GYW
GAE	GDA	GFX	GJT	GMO	GPK	GTE	GWA	GYX
GAF	GDB	GFY	GJU	GMP	GPL	GTF	GWB	GYY
GAG	GDC		GJV	GMR	GPM	GTG	GWC	
GAH	GDD	GG	GJW	GMS	GPN	GTH	GWD	
GAJ	GDE	GGA	GJX	GMT	GPO	GTJ	GWE	
GAK	GDF	GGB	GJY	GMU	GPP	GTK	GWF	
GAL	GDG	GGC		GMV	GPR	GTL	GWG	
GAM	GDH	GGD		GMW	GPS	GTM	GWH	
GAN	GDJ	GGE	GK	GMX	GPT	GTN	GWJ	
GAO	GDK	GGF	GKA	GMY	GPU	GTO	GWK	
GAP	GDL	GGG	GKB		GPV	GTP	GWL	
GAR	GDM	GGH	GKC		GPW	GTR	GWM	
GAS	GDN	GGJ	GKD	GN	GPX	GTS	GWN	
GAT	GDO	GGK	GKE	GNA	GPY	GTT	GWO	
GAU	GDP	GGL	GKF	GNB		GTU	GWP	
GAV	GDR	GGM	GKG	GNC		GTV	GWR	
GAW	GDS	GGN	GKH	GND	GR	GTW	GWS	
GAX	GDT	GGO	GKJ	GNE	GRA	GTX	GWT	
GAY	GDU	GGP	GKK	GNF	GRB	GTY	GWU	
	GDV	GGR	GKL	GNG	GRC		GWV	
GB	GDW	GGS	GKM	GNH	GRD		GWW	
GBA	GDX	GGT	GKN	GNJ	GRE	GU	GWX	
GBB	GDY	GGU	GKO	GNK	GRF	GUA	GWY	
GBC		GGV	GKP	GNL	GRG	GUB		
GBD	GE	GGW	GKR	GNM	GRH	GUC		
GBE	GEA	GGX	GKS	GNN	GRJ	GUD	GX	
GBF	GEB	GGY	GKT	GNO	GRK	GUE	GXA	
GBG	GEC		GKU	GNP	GRL	GUF	GXB	
GBH	GED	GH	GKV	GNR	GRM	GUG	GXC	
GBJ	GEE	GHA	GKW	GNS	GRN	GUH	GXD	
GBK	GEF	GHB	GKX	GNT	GRO	GUJ	GXE	
GBL	GEG	GHC	GKY	GNU	GRP	GUK	GXF	
GBM	GEH	GHD		GNV	GRR	GUL	GXG	
GBN	GEJ	GHE	GL	GNW	GRS	GUM	GXH	
GBO	GEK	GHF	GLA	GNX	GRT	GUN	GXJ	
GBP	GEL	GHG	GLB	GNY	GRU	GUO	GXK	
GBR	GEM	GHH	GLC		GRV	GUP	GXL	
GBS	GEN	GHJ	GLD	GO	GRW	GUR	GXM	
GBT	GEO	GHK	GLE	GOA	GRX	GUS	GXN	
GBU	GEP	GHL	GLF	GOB	GRY	GUT	GXO	
GBV	GER	GHM	GLG	GOC		GUU	GXP	
GBW	GES	GHN	GLH	GOD		GUV	GXR	
GBX	GET	GHO	GLJ	GOE	GS	GUW	GXS	
GBY	GEU	GHP	GLK	GOF	GSA	GUX	GXT	
	GEV	GHR	GLL	GOG	GSB	GUY	GXU	
	GEW	GHS	GLM	GOH	GSC		GXV	
GC	GEX	GHT	GLN	GOJ	GSD		GXW	
GCA	GEY	GHU	GLO	GOK	GSE	GV	GXX	
GCB		GHV	GLP	GOL	GSF	GVA	GXY	
GCC		GHW	GLP.	GOM	GSG	GVB		
GCD	GF	GHX	GLS	GON	GSH	GVC		
GCE	GFA	GHY	GLT	GOO	GSJ	GVD	GY	
GCF	GFB		GLU	GOP	GSK	GVE	GYA	
GCG	GFC		GLV	GOR	GSL	GVF	GYB	
GCH	GFD	GJ	GLW	GOS	GSM	GVG	GYC	
GCJ	GFE	GJA	GLX	GOT	GSN	GVH	GYD	
GCK	GFF	GJB	GLY	GOU	GSO	GVJ	GYE	
GCL	GFG	GJC		GOV	GSP	GVK	GYF	
GCM	GFH	GJD	GM	GOW	GSR	GVL	GYG	
GCN	GFJ	GJE	GMA	GOX	GSS	GVM	GYH	
GCO	GFK	GJF	GMB	GOY	GST	GVN	GYJ	
GCP	GFL	GJG	GMC		GSU	GVO	GYK	
GCR	GFM	GJH	GMD	GP	GSV	GVP	GYL	
GCS	GFN	GJJ	GME	GPA	GSW	GVR	GYM	
GCT	GFO	GJK	GMF	GPB	GSX	GVS	GYN	
GCU	GFP	GJL	GMG	GPC	GSY	GVT	GYO	
						GVU	GYP	

H	HCV	HFR	HJM	HMH	HPD		HVV	HYR
HA	HCW	HFS	HJN	HMJ	HPE	HT	HVW	HYS
HAA	HCX	HFT	HJO	HMK	HPF	HTA	HVX	HYT
HAB	HCY	HFU	HJP	HML	HPG	HTB	HVY	HYU
HAC		HFV	HJR	HMM	HPH	HTC		HYV
HAD	HD	HFW	HJS	HMN	HPJ	HTD	HW	HYW
HAE	HDA	HFX	HJT	HMO	HPK	HTE	HWA	HYX
HAF	HDB	HFY	HJU	HMP	HPL	HTF	HWB	HYY
HAG	HDC		HJV	HMR	HPM	HTG	HWC	
HAH	HDD	HG	HJW	HMS	HPN	HTH	HWD	
HAJ	HDE	HGA	HJX	HMT	HPO	HTJ	HWE	
HAK	HDF	HGB	HJY	HMU	HPP	HTK	HWF	
HAL	HDG	HGC		HMV	HPR	HTL	HWG	
HAM	HDH	HGD	HK	HMW	HPS	HTM	HWH	
HAN	HDJ	HGE	HKA	HMX	HPT	HTN	HWJ	
HAO	HDK	HGF	HKB	HMY	HPU	HTO	HWK	
HAP	HDL	HGG	HKC		HPV	HTP	HWL	
HAR	HDM	HGH	HKD	HN	HPW	HTR	HWM	
HAS	HDN	HGJ	HKE	HNA	HPX	HTS	HWN	
HAT	HDO	HGK	HKF	HNB	HPY	HTT	HWO	
HAU	HDP	HGL	HKG	HNC		HTU	HWP	
HAV	HDR	HGM	HKH	HND	HR	HTV	HWR	
HAW	HDS	HGN	HKJ	HNE	HRA	HTW	HWS	
HAX	HDT	HGO	HKK	HNF	HRB	HTX	HWT	
HAY	HDU	HGP	HKL	HNG	HRC	HTY	HWU	
	HDV	HGR	HKM	HNH	HRD		HWV	
HB	HDW	HGS	HKN	HNJ	HRE		HWW	
HBA	HDX	HGT	HKO	HNK	HRF	HU	HWX	
HBB	HDY	HGU	HKP	HNL	HRG	HUA	HWY	
HBC		HGV	HKR	HNM	HRH	HUB		
HBD	HE	HGW	HKS	HNN	HRJ	HUC		
HBE	HEA	HGX	HKT	HNO	HRK	HUD	HX	
HBF	HEB	HGY	HKU	HNP	HRL	HUE	HXA	
HBG	HEC		HKV	HNR	HRM	HUF	HXB	
HBH	HED	HH	HKW	HNS	HRN	HUG	HXC	
HBJ	HEE	HHA	HKX	HNT	HRO	HUH	HXD	
HBK	HEF	HHB	HKY	HNU	HRP	HUJ	HXE	
HBL	HEG	HHC		HNV	HRR	HUK	HXF	
HBM	HEH	HHD	HL	HNW	HRS	HUL	HXG	
HBN	HEJ	HHE	HLA	HNX	HRT	HUM	HXH	
HBO	HEK	HHF	HLB	HNY	HRU	HUN	HXJ	
HBP	HEL	HHG	HLC		HRV	HUO	HXK	
HBR	HEM	HHH	HLD	HO	HRW	HUP	HXL	
HBS	HEN	HHJ	HLE	HOA	HRX	HUR	HXM	
HBT	HEO	HHK	HLF	HOB	HRY	HUS	HXN	
HBU	HEP	HHL	HLG	HOC		HUT	HXO	
HBV	HER	HHM	HLH	HOD		HUU	HXP	
HBW	HES	HHN	HLJ	HOE	HS	HUV	HXR	
HBX	HET	HHO	HLK	HOF	HSA	HUW	HXS	
HBY	HEU	HHP	HLL	HOG	HSB	HUX	HXT	
	HEV	HHR	HLM	HOH	HSC	HUY	HXU	
HC	HEW	HHS	HLN	HOJ	HSD		HXV	
HCA	HEX	HHT	HLO	HOK	HSE	HV	HXW	
HCB	HEY	HHU	HLP	HOL	HSF	HVA	HXX	
HCC		HHV	HLR	HOM	HSG	HVB	HXY	
HCD	HF	HHW	HLS	HON	HSH	HVC		
HCE	HFA	HHX	HLT	HOO	HSJ	HVD	HY	
HCF	HFB	HHY	HLU	HOP	HSK	HVE	HYA	
HCG	HFC		HLV	HOR	HSL	HVF	HYB	
HCH	HFD	HJ	HLW	HOS	HSM	HVG	HYC	
HCJ	HFE	HJA	HLX	HOT	HSN	HVH	HYD	
HCK	HFF	HJB	HLY	HOU	HSO	HVJ	HYE	
HCL	HFG	HJC		HOV	HSP	HVK	HYF	
HCM	HFH	HJD	HM	HOW	HSR	HVL	HYG	
HCN	HFJ	HJE	HMA	HOX	HSS	HVM	HYH	
HCO	HFK	HJF	HMB	HOY	HST	HVN	HYJ	
HCP	HFL	HJG	HMC		HSU	HVO	HYK	
HCR	HFM	HJH	HMD	HP	HSV	HVP	HYL	
HCS	HFN	HJJ	HME	HPA	HSW	HVR	HYM	
HCT	HFO	HJK	HMF	HPB	HSX	HVS	HYN	
HCU	HFP	HJL	HMG	HPC	HSY	HVT	HYO	
						HVU	HYP	

31

J	JCV	JFR	JJM	JMH	JPD		JVV	JYR
JA	JCW	JFS	JJN	JMJ	JPE	JT	JVW	JYS
JAA	JCX	JFT	JJO	JMK	JPF	JTA	JVX	JYT
JAB	JCY	JFU	JJP	JML	JPG	JTB	JVY	JYU
JAC		JFV	JJR	JMM	JPH	JTC		JYV
JAD	JD	JFW	JJS	JMN	JPJ	JTD	JW	JYW
JAE	JDA	JFX	JJT	JMO	JPK	JTE	JWA	JYX
JAF	JDB	JFY	JJU	JMP	JPL	JTF	JWB	JYY
JAG	JDC		JJV	JMR	JPM	JTG	JWC	
JAH	JDD	JG	JJW	JMS	JPN	JTH	JWD	
JAJ	JDE	JGA	JJX	JMT	JPO	JTJ	JWE	
JAK	JDF	JGB	JJY	JMU	JPP	JTK	JWF	
JAL	JDG	JGC		JMV	JPR	JTL	JWG	
JAM	JDH	JGD	JK	JMW	JPS	JTM	JWH	
JAN	JDJ	JGE	JKA	JMX	JPT	JTN	JWJ	
JAO	JDK	JGF	JKB	JMY	JPU	JTO	JWK	
JAP	JDL	JGG	JKC		JPV	JTP	JWL	
JAR	JDM	JGH	JKD	JN	JPW	JTR	JWM	
JAS	JDN	JGJ	JKE	JNA	JPX	JTS	JWN	
JAT	JDO	JGK	JKF	JNB	JPY	JTT	JWO	
JAU	JDP	JGL	JKG	JNC		JTU	JWP	
JAV	JDR	JGM	JKH	JND		JTV	JWR	
JAW	JDS	JGN	JKJ	JNE	JR	JTW	JWS	
JAX	JDT	JGO	JKK	JNF	JRA	JTX	JWT	
JAY	JDU	JGP	JKL	JNG	JRB	JTY	JWU	
	JDV	JGR	JKM	JNH	JRC		JWV	
JB	JDW	JGS	JKN	JNJ	JRD		JWW	
JBA	JDX	JGT	JKO	JNK	JRE	JU	JWX	
JBB	JDY	JGU	JKP	JNL	JRF	JUA	JWY	
JBC		JGV	JKR	JNM	JRG	JUB		
JBD	JE	JGW	JKS	JNN	JRH	JUC	JX	
JBE	JEA	JGX	JKT	JNO	JRJ	JUD	JXA	
JBF	JEB	JGY	JKU	JNP	JRK	JUE	JXB	
JBG	JEC		JKV	JNR	JRL	JUF	JXC	
JBH	JED	JH	JKW	JNS	JRM	JUG	JXD	
JBJ	JEE	JHA	JKX	JNT	JRN	JUH	JXE	
JBK	JEF	JHB	JKY	JNU	JRO	JUJ	JXF	
JBL	JEG	JHC		JNV	JRP	JUK	JXG	
JBM	JEH	JHD	JL	JNW	JRR	JUL	JXH	
JBN	JEJ	JHE	JLA	JNX	JRS	JUM	JXJ	
JBO	JEK	JHF	JLB	JNY	JRT	JUN	JXK	
JBP	JEL	JHG	JLC		JRU	JUO	JXL	
JBR	JEM	JHH	JLD	JO	JRV	JUP	JXM	
JBS	JEN	JHJ	JLE	JOA	JRW	JUR	JXN	
JBT	JEO	JHK	JLF	JOB	JRX	JUS	JXO	
JBU	JEP	JHL	JLG	JOC	JRY	JUT	JXP	
JBV	JER	JHM	JLH	JOD		JUU	JXR	
JBW	JES	JHN	JLJ	JOE		JUV	JXS	
JBX	JET	JHO	JLK	JOF	JS	JUW	JXT	
JBY	JEU	JHP	JLL	JOG	JSA	JUX	JXU	
	JEV	JHR	JLM	JOH	JSB	JUY	JXV	
JC	JEW	JHS	JLN	JOJ	JSC		JXW	
JCA	JEX	JHT	JLO	JOK	JSD	JV	JXX	
JCB	JEY	JHU	JLP	JOL	JSE	JVA	JXY	
JCC		JHV	JLR	JOM	JSF	JVB		
JCD	JF	JHW	JLS	JON	JSG	JVC	JY	
JCE	JFA	JHX	JLT	JOO	JSH	JVD	JYA	
JCF	JFB	JHY	JLU	JOP	JSJ	JVE	JYB	
JCG	JFC		JLV	JOR	JSK	JVF	JYC	
JCH	JFD	JJ	JLW	JOS	JSL	JVG	JYD	
JCJ	JFE	JJA	JLX	JOT	JSM	JVH	JYE	
JCK	JFF	JJB	JLY	JOU	JSN	JVJ	JYF	
JCL	JFG	JJC		JOV	JSO	JVK	JYG	
JCM	JFH	JJD	JM	JOW	JSP	JVL	JYH	
JCN	JFJ	JJE	JMA	JOX	JSR	JVM	JYJ	
JCO	JFK	JJF	JMB	JOY	JSS	JVN	JYK	
JCP	JFL	JJG	JMC		JST	JVO	JYL	
JCR	JFM	JJH	JMD	JP	JSU	JVP	JYM	
JCS	JFN	JJJ	JME	JPA	JSV	JVR	JYN	
JCT	JFO	JJK	JMF	JPB	JSW	JVS	JYO	
JCU	JFP	JJL	JMG	JPC	JSX	JVT	JYP	
					JSY	JVU		

32

Left margin (partially cut-off codes):

A, B, C, D, E, F, G, H, J, K, L, M, N, O, P, R, S, T, U, V, W, X, Y

BA, BB, BC, BD, BE, BF, BG, BH, BJ, BK, BL, BM, BN, BO, BP, BR, BS, BT, BU, BV, BW, BX, BY

CA, CB, CC, CD, CE, CF, CG, CH, CJ, CK, CL, CM, CN, CO, CP, CR, CS, CT, CU

KCV	KFR	KJM	KMH	KPD		KVV	KYR
KCW	KFS	KJN	KMJ	KPE	KT	KVW	KYS
KCX	KFT	KJO	KMK	KPF	KTA	KVX	KYT
KCY	KFU	KJP	KML	KPG	KTB	KVY	KYU
	KFV	KJR	KMM	KPH	KTC		KYV
KD	KFW	KJS	KMN	KPJ	KTD	KW	KYW
KDA	KFX	KJT	KMO	KPK	KTE	KWA	KYX
KDB	KFY	KJU	KMP	KPL	KTF	KWB	KYY
KDC		KJV	KMR	KPM	KTG	KWC	
KDD	KG	KJW	KMS	KPN	KTH	KWD	
KDE	KGA	KJX	KMT	KPO	KTJ	KWE	
KDF	KGB	KJY	KMU	KPP	KTK	KWF	
KDG	KGC		KMV	KPR	KTL	KWG	
KDH	KGD	KK	KMW	KPS	KTM	KWH	
KDJ	KGE	KKA	KMX	KPT	KTN	KWJ	
KDK	KGF	KKB	KMY	KPU	KTO	KWK	
KDL	KGG	KKC		KPV	KTP	KWL	
KDM	KGH	KKD	KN	KPW	KTR	KWM	
KDN	KGJ	KKE	KNA	KPX	KTS	KWN	
KDO	KGK	KKF	KNB	KPY	KTT	KWO	
KDP	KGL	KKG	KNC		KTU	KWP	
KDR	KGM	KKH	KND	KR	KTV	KWR	
KDS	KGN	KKJ	KNE	KRA	KTW	KWS	
KDT	KGO	KKK	KNF	KRB	KTX	KWT	
KDU	KGP	KKL	KNG	KRC	KTY	KWU	
KDV	KGR	KKM	KNH	KRD		KWV	
KDW	KGS	KKN	KNJ	KRE	KU	KWW	
KDX	KGT	KKO	KNK	KRF	KUA	KWX	
KDY	KGU	KKP	KNL	KRG	KUB	KWY	
	KGV	KKR	KNM	KRH	KUC		
KE	KGW	KKS	KNN	KRJ	KUD	KX	
KEA	KGX	KKT	KNO	KRK	KUE	KXA	
KEB	KGY	KKU	KNP	KRL	KUF	KXB	
KEC		KKV	KNR	KRM	KUG	KXC	
KED	KH	KKW	KNS	KRN	KUH	KXD	
KEE	KHA	KKX	KNT	KRO	KUJ	KXE	
KEF	KHB	KKY	KNU	KRP	KUK	KXF	
KEG	KHC		KNV	KRR	KUL	KXG	
KEH	KHD	KL	KNW	KRS	KUM	KXH	
KEJ	KHE	KLA	KNX	KRT	KUN	KXJ	
KEK	KHF	KLB	KNY	KRU	KUO	KXK	
KEL	KHG	KLC		KRV	KUP	KXL	
KEM	KHH	KLD	KO	KRW	KUR	KXM	
KEN	KHJ	KLE	KOA	KRX	KUS	KXN	
KEO	KHK	KLF	KOB	KRY	KUT	KXO	
KEP	KHL	KLG	KOC		KUU	KXP	
KER	KHM	KLH	KOD	KS	KUV	KXR	
KES	KHN	KLJ	KOE	KSA	KUW	KXS	
KET	KHO	KLK	KOF	KSB	KUX	KXT	
KEU	KHP	KLL	KOG	KSC	KUY	KXU	
KEV	KHR	KLM	KOH	KSD		KXV	
KEW	KHS	KLN	KOJ	KSE	KV	KXW	
KEX	KHT	KLO	KOK	KSF	KVA	KXX	
KEY	KHU	KLP	KOL	KSG	KVB	KXY	
	KHV	KLR	KOM	KSH	KVC		
KF	KHW	KLS	KON	KSJ	KVD	KY	
KFA	KHX	KLT	KOO	KSK	KVE	KYA	
KFB	KHY	KLU	KOP	KSL	KVF	KYB	
KFC		KLV	KOR	KSM	KVG	KYC	
KFD	KJ	KLW	KOS	KSN	KVH	KYD	
KFE	KJA	KLX	KOT	KSO	KVJ	KYE	
KFF	KJB	KLY	KOU	KSP	KVK	KYF	
KFG	KJC		KOV	KSR	KVL	KYG	
KFH	KJD	KM	KOW	KSS	KVM	KYH	
KFJ	KJE	KMA	KOX	KST	KVN	KYJ	
KFK	KJF	KMB	KOY	KSU	KVO	KYK	
KFL	KJG	KMC		KSV	KVP	KYL	
KFM	KJH	KMD	KP	KSW	KVR	KYM	
KFN	KJJ	KME	KPA	KSX	KVS	KYN	
KFO	KJK	KMF	KPB	KSY	KVT	KYO	
KFP	KJL	KMG	KPC		KVU	KYP	

33

L	LCV	LFR	LJM	LMH	LPD		LVV	LYR
LA	LCW	LFS	LJN	LMJ	LPE	LT	LVW	LYS
LAA	LCX	LFT	LJO	LMK	LPF	LTA	LVX	LYT
LAB	LCY	LFU	LJP	LML	LPG	LTB	LVY	LYU
LAC		LFV	LJR	LMM	LPH	LTC		LYV
LAD	LD	LFW	LJS	LMN	LPJ	LTD	LW	LYW
LAE	LDA	LFX	LJT	LMO	LPK	LTE	LWA	LYX
LAF	LDB	LFY	LJU	LMP	LPL	LTF	LWB	LYY
LAG	LDC		LJV	LMR	LPM	LTG	LWC	
LAH	LDD	LG	LJW	LMS	LPN	LTH	LWD	
LAJ	LDE	LGA	LJX	LMT	LPO	LTJ	LWE	
LAK	LDF	LGB	LJY	LMU	LPP	LTK	LWF	
LAL	LDG	LGC		LMV	LPR	LTL	LWG	
LAM	LDH	LGD	LK	LMW	LPS	LTM	LWH	
LAN	LDJ	LGE	LKA	LMX	LPT	LTN	LWJ	
LAO	LDK	LGF	LKB	LMY	LPU	LTO	LWK	
LAP	LDL	LGG	LKC		LPV	LTP	LWL	
LAR	LDM	LGH	LKD	LN	LPW	LTR	LWM	
LAS	LDN	LGJ	LKE	LNA	LPX	LTS	LWN	
LAT	LDO	LGK	LKF	LNB	LPY	LTT	LWO	
LAU	LDP	LGL	LKG	LNC		LTU	LWP	
LAV	LDR	LGM	LKH	LND		LTV	LWR	
LAW	LDS	LGN	LKJ	LNE	LR	LTW	LWS	
LAX	LDT	LGO	LKK	LNF	LRA	LTX	LWT	
LAY	LDU	LGP	LKL	LNG	LRB	LTY	LWU	
	LDV	LGR	LKM	LNH	LRC		LWV	
	LDW	LGS	LKN	LNJ	LRD		LWW	
LB	LDX	LGT	LKO	LNK	LRE	LU	LWX	
LBA	LDY	LGU	LKP	LNL	LRF	LUA	LWY	
LBB		LGV	LKR	LNM	LRG	LUB		
LBC		LGW	LKS	LNN	LRH	LUC		
LBD	LE	LGX	LKT	LNO	LRJ	LUD	LX	
LBE	LEA	LGY	LKU	LNP	LRK	LUE	LXA	
LBF	LEB		LKV	LNR	LRL	LUF	LXB	
LBG	LEC		LKW	LNS	LRM	LUG	LXC	
LBH	LED	LH	LKX	LNT	LRN	LUH	LXD	
LBJ	LEE	LHA	LKY	LNU	LRO	LUJ	LXE	
LBK	LEF	LHB		LNV	LRP	LUK	LXF	
LBL	LEG	LHC		LNW	LRR	LUL	LXG	
LBM	LEH	LHD	LL	LNX	LRS	LUM	LXH	
LBN	LEJ	LHE	LLA	LNY	LRT	LUN	LXJ	
LBO	LEK	LHF	LLB		LRU	LUO	LXK	
LBP	LEL	LHG	LLC		LRV	LUP	LXL	
LBR	LEM	LHH	LLD	LO	LRW	LUR	LXM	
LBS	LEN	LHJ	LLE	LOA	LRX	LUS	LXN	
LBT	LEO	LHK	LLF	LOB	LRY	LUT	LXO	
LBU	LEP	LHL	LLG	LOC		LUU	LXP	
LBV	LER	LHM	LLH	LOD		LUV	LXR	
LBW	LES	LHN	LLJ	LOE		LUW	LXS	
LBX	LET	LHO	LLK	LOF	LS	LUX	LXT	
LBY	LEU	LHP	LLL	LOG	LSA	LUY	LXU	
	LEV	LHR	LLM	LOH	LSB		LXV	
LC	LEW	LHS	LLN	LOJ	LSC		LXW	
LCA	LEX	LHT	LLO	LOK	LSD	LV	LXX	
LCB	LEY	LHU	LLP	LOL	LSE	LVA	LXY	
LCC		LHV	LLR	LOM	LSF	LVB		
LCD		LHW	LLS	LON	LSG	LVC		
LCE	LF	LHX	LLT	LOO	LSH	LVD	LY	
LCF	LFA	LHY	LLU	LOP	LSJ	LVE	LYA	
LCG	LFB		LLV	LOR	LSK	LVF	LYB	
LCH	LFC	LJ	LLW	LOS	LSL	LVG	LYC	
LCJ	LFD	LJA	LLX	LOT	LSM	LVH	LYD	
LCK	LFE	LJB	LLY	LOU	LSN	LVJ	LYE	
LCL	LFF	LJC		LOV	LSO	LVK	LYF	
LCM	LFG	LJD	LM	LOW	LSP	LVL	LYG	
LCN	LFH	LJE	LMA	LOX	LSR	LVM	LYH	
LCO	LFJ	LJF	LMB	LOY	LSS	LVN	LYJ	
LCP	LFK	LJG	LMC		LST	LVO	LYK	
LCR	LFL	LJH	LMD	LP	LSU	LVP	LYL	
LCS	LFM	LJJ	LME	LPA	LSV	LVR	LYM	
LCT	LFN	LJK	LMF	LPB	LSW	LVS	LYN	
LCU	LFO	LJL	LMG	LPC	LSX	LVT	LYO	
	LFP				LSY	LVU	LYP	

M	MCV	MFR	MJM	MMH	MPD		MVV	MYR
MA	MCW	MFS	MJN	MMJ	MPE	MT	MVW	MYS
MAA	MCX	MFT	MJO	MMK	MPF	MTA	MVX	MYT
MAB	MCY	MFU	MJP	MML	MPG	MTB	MVY	MYU
MAC		MFV	MJR	MMM	MPH	MTC		MYV
MAD	MD	MFW	MJS	MMN	MPJ	MTD	MW	MYW
MAE	MDA	MFX	MJT	MMO	MPK	MTE	MWA	MYX
MAF	MDB	MFY	MJU	MMP	MPL	MTF	MWB	MYY
MAG	MDC		MJV	MMR	MPM	MTG	MWC	
MAH	MDD	MG	MJW	MMS	MPN	MTH	MWD	
MAJ	MDE	MGA	MJX	MMT	MPO	MTJ	MWE	
MAK	MDF	MGB	MJY	MMU	MPP	MTK	MWF	
MAL	MDG	MGC		MMV	MPR	MTL	MWG	
MAM	MDH	MGD	MK	MMW	MPS	MTM	MWH	
MAN	MDJ	MGE	MKA	MMX	MPT	MTN	MWJ	
MAO	MDK	MGF	MKB	MMY	MPU	MTO	MWK	
MAP	MDL	MGG	MKC		MPV	MTP	MWL	
MAR	MDM	MGH	MKD	MN	MPW	MTR	MWM	
MAS	MDN	MGJ	MKE	MNA	MPX	MTS	MWN	
MAT	MDO	MGK	MKF	MNB	MPY	MTT	MWO	
MAU	MDP	MGL	MKG	MNC		MTU	MWP	
MAV	MDR	MGM	MKH	MND		MTV	MWR	
MAW	MDS	MGN	MKJ	MNE	MR	MTW	MWS	
MAX	MDT	MGO	MKK	MNF	MRA	MTX	MWT	
MAY	MDU	MGP	MKL	MNG	MRB	MTY	MWU	
	MDV	MGR	MKM	MNH	MRC		MWV	
MB	MDW	MGS	MKN	MNJ	MRD	MU	MWW	
MBA	MDX	MGT	MKO	MNK	MRE	MUA	MWX	
MBB	MDY	MGU	MKP	MNL	MRF	MUB	MWY	
MBC		MGV	MKR	MNM	MRG	MUC		
MBD	ME	MGW	MKS	MNN	MRH	MUD	MX	
MBE	MEA	MGX	MKT	MNO	MRJ	MUE	MXA	
MBF	MEB	MGY	MKU	MNP	MRK	MUF	MXB	
MBG	MEC		MKV	MNR	MRL	MUG	MXC	
MBH	MED	MH	MKW	MNS	MRM	MUH	MXD	
MBJ	MEE	MHA	MKX	MNT	MRN	MUJ	MXE	
MBK	MEF	MHB	MKY	MNU	MRO	MUK	MXF	
MBL	MEG	MHC		MNV	MRP	MUL	MXG	
MBM	MEH	MHD	ML	MNW	MRR	MUM	MXH	
MBN	MEJ	MHE	MLA	MNX	MRS	MUN	MXJ	
MBO	MEK	MHF	MLB	MNY	MRT	MUO	MXK	
MBP	MEL	MHG	MLC		MRU	MUP	MXL	
MBR	MEM	MHH	MLD	MO	MRV	MUR	MXM	
MBS	MEN	MHJ	MLE	MOA	MRW	MUS	MXN	
MBT	MEO	MHK	MLF	MOB	MRX	MUT	MXO	
MBU	MEP	MHL	MLG	MOC	MRY	MUU	MXP	
MBV	MER	MHM	MLH	MOD		MUV	MXR	
MBW	MES	MHN	MLJ	MOE	MS	MUW	MXS	
MBX	MET	MHO	MLK	MOF	MSA	MUX	MXT	
MBY	MEU	MHP	MLL	MOG	MSB	MUY	MXU	
	MEV	MHR	MLM	MOH	MSC		MXV	
MC	MEW	MHS	MLN	MOJ	MSD	MV	MXW	
MCA	MEX	MHT	MLO	MOK	MSE	MVA	MXX	
MCB	MEY	MHU	MLP	MOL	MSF	MVB	MXY	
MCC		MHV	MLR	MOM	MSG	MVC		
MCD	MF	MHW	MLS	MON	MSH	MVD	MY	
MCE	MFA	MHX	MLT	MOO	MSJ	MVE	MYA	
MCF	MFB	MHY	MLU	MOP	MSK	MVF	MYB	
MCG	MFC		MLV	MOR	MSL	MVG	MYC	
MCH	MFD	MJ	MLW	MOS	MSM	MVH	MYD	
MCJ	MFE	MJA	MLX	MOT	MSN	MVJ	MYE	
MCK	MFF	MJB	MLY	MOU	MSO	MVK	MYF	
MCL	MFG	MJC		MOV	MSP	MVL	MYG	
MCM	MFH	MJD	MM	MOW	MSR	MVM	MYH	
MCN	MFJ	MJE	MMA	MOX	MSS	MVN	MYJ	
MCO	MFK	MJF	MMB	MOY	MST	MVO	MYK	
MCP	MFL	MJG	MMC		MSU	MVP	MYL	
MCR	MFM	MJH	MMD	MP	MSV	MVR	MYM	
MCS	MFN	MJJ	MME	MPA	MSW	MVS	MYN	
MCT	MFO	MJK	MMF	MPB	MSX	MVT	MYO	
MCU	MFP	MJL	MMG	MPC	MSY	MVU	MYP	

N	NCV	NFR	NJM	NMH	NPD		NVV	NYR
NA	NCW	NFS	NJN	NMJ	NPE	NT	NVW	NYS
NAA	NCX	NFT	NJO	NMK	NPF	NTA	NVX	NYT
NAB	NCY	NFU	NJP	NML	NPG	NTB	NVY	NYU
NAC		NFV	NJR	NMM	NPH	NTC		NYV
NAD	ND	NFW	NJS	NMN	NPJ	NTD	NW	NYW
NAE	NDA	NFX	NJT	NMO	NPK	NTE	NWA	NYX
NAF	NDB	NFY	NJU	NMP	NPL	NTF	NWB	NYY
NAG	NDC		NJV	NMR	NPM	NTG	NWC	
NAH	NDD	NG	NJW	NMS	NPN	NTH	NWD	
NAJ	NDE	NGA	NJX	NMT	NPO	NTJ	NWE	
NAK	NDF	NGB	NJY	NMU	NPP	NTK	NWF	
NAL	NDG	NGC		NMV	NPR	NTL	NWG	
NAM	NDH	NGD	NK	NMW	NPS	NTM	NWH	
NAN	NDJ	NGE	NKA	NMX	NPT	NTN	NWJ	
NAO	NDK	NGF	NKB	NMY	NPU	NTO	NWK	
NAP	NDL	NGG	NKC		NPV	NTP	NWL	
NAR	NDM	NGH	NKD	NN	NPW	NTR	NWM	
NAS	NDN	NGJ	NKE	NNA	NPX	NTS	NWN	
NAT	NDO	NGK	NKF	NNB	NPY	NTT	NWO	
NAU	NDP	NGL	NKG	NNC		NTU	NWP	
NAV	NDR	NGM	NKH	NND	NR	NTV	NWR	
NAW	NDS	NGN	NKJ	NNE	NRA	NTW	NWS	
NAX	NDT	NGO	NKK	NNF	NRB	NTX	NWT	
NAY	NDU	NGP	NKL	NNG	NRC	NTY	NWU	
	NDV	NGR	NKM	NNH	NRD		NWV	
NB	NDW	NGS	NKN	NNJ	NRE	NU	NWW	
NBA	NDX	NGT	NKO	NNK	NRF	NUA	NWX	
NBB	NDY	NGU	NKP	NNL	NRG	NUB	NWY	
NBC		NGV	NKR	NNM	NRH	NUC		
NBD	NE	NGW	NKS	NNN	NRJ	NUD	NX	
NBE	NEA	NGX	NKT	NNO	NRK	NUE	NXA	
NBF	NEB	NGY	NKU	NNP	NRL	NUF	NXB	
NBG	NEC		NKV	NNR	NRM	NUG	NXC	
NBH	NED	NH	NKW	NNS	NRN	NUH	NXD	
NBJ	NEE	NHA	NKX	NNT	NRO	NUJ	NXE	
NBK	NEF	NHB	NKY	NNU	NRP	NUK	NXF	
NBL	NEG	NHC		NNV	NRR	NUL	NXG	
NBM	NEH	NHD	NL	NNW	NRS	NUM	NXH	
NBN	NEJ	NHE	NLA	NNX	NRT	NUN	NXJ	
NBO	NEK	NHF	NLB	NNY	NRU	NUO	NXK	
NBP	NEL	NHG	NLC		NRV	NUP	NXL	
NBR	NEM	NHH	NLD	NO	NRW	NUR	NXM	
NBS	NEN	NHJ	NLE	NOA	NRX	NUS	NXN	
NBT	NEO	NHK	NLF	NOB	NRY	NUT	NXO	
NBU	NEP	NHL	NLG	NOC		NUU	NXP	
NBV	NER	NHM	NLH	NOD		NUV	NXR	
NBW	NES	NHN	NLJ	NOE	NS	NUW	NXS	
NBX	NET	NHO	NLK	NOF	NSA	NUX	NXT	
NBY	NEU	NHP	NLL	NOG	NSB	NUY	NXU	
	NEV	NHR	NLM	NOH	NSC		NXV	
NC	NEW	NHS	NLN	NOJ	NSD	NV	NXW	
NCA	NEX	NHT	NLO	NOK	NSE	NVA	NXX	
NCB	NEY	NHU	NLP	NOL	NSF	NVB	NXY	
NCC		NHV	NLR	NOM	NSG	NVC		
NCD	NF	NHW	NLS	NON	NSH	NVD	NY	
NCE	NFA	NHX	NLT	NOO	NSJ	NVE	NYA	
NCF	NFB	NHY	NLU	NOP	NSK	NVF	NYB	
NCG	NFC		NLV	NOR	NSL	NVG	NYC	
NCH	NFD	NJ	NLW	NOS	NSM	NVH	NYD	
NCJ	NFE	NJA	NLX	NOT	NSN	NVJ	NYE	
NCK	NFF	NJB	NLY	NOU	NSO	NVK	NYF	
NCL	NFG	NJC		NOV	NSP	NVL	NYG	
NCM	NFH	NJD	NM	NOW	NSR	NVM	NYH	
NCN	NFJ	NJE	NMA	NOX	NSS	NVN	NYJ	
NCO	NFK	NJF	NMB	NOY	NST	NVO	NYK	
NCP	NFL	NJG	NMC		NSU	NVP	NYL	
NCR	NFM	NJH	NMD	NP	NSV	NVR	NYM	
NCS	NFN	NJJ	NME	NPA	NSW	NVS	NYN	
NCT	NFO	NJK	NMF	NPB	NSX	NVT	NYO	
NCU	NFP	NJL	NMG	NPC	NSY	NVU	NYP	

O
OA
OAA
OAB
OAC
OAD
OAE
OAF
OAG
OAH
OAJ
OAK
OAL
OAM
OAN
OAO
OAP
OAR
OAS
OAT
OAU
OAV
OAW
OAX
OAY

OB
OBA
OBB
OBC
OBD
OBE
OBF
OBG
OBH
OBJ
OBK
OBL
OBM
OBN
OBO
OBP
OBR
OBS
OBT
OBU
OBV
OBW
OBX
OBY

OC
OCA
OCB
OCC
OCD
OCE
OCF
OCG
OCH
OCJ
OCK
OCL
OCM
OCN
OCO
OCP
OCR
OCS
OCT
OCU

OCV
OCW
OCX
OCY

OD
ODA
ODB
ODC
ODD
ODE
ODF
ODG
ODH
ODJ
ODK
ODL
ODM
ODN
ODO
ODP
ODR
ODS
ODT
ODU
ODV
ODW
ODX
ODY

OE
OEA
OEB
OEC
OED
OEE
OEF
OEG
OEH
OEJ
OEK
OEL
OEM
OEN
OEO
OEP
OER
OES
OET
OEU
OEV
OEW
OEX
OEY

OF
OFA
OFB
OFC
OFD
OFE
OFF
OFG
OFH
OFJ
OFK
OFL
OFM
OFN
OFO
OFP

OFR
OFS
OFT
OFU
OFV
OFW
OFX
OFY

OG
OGA
OGB
OGC
OGD
OGE
OGF
OGG
OGH
OGJ
OGK
OGL
OGM
OGN
OGO
OGP
OGR
OGS
OGT
OGU
OGV
OGW
OGX
OGY

OH
OHA
OHB
OHC
OHD
OHE
OHF
OHG
OHH
OHJ
OHK
OHL
OHM
OHN
OHO
OHP
OHR
OHS
OHT
OHU
OHV
OHW
OHX
OHY

OJ
OJA
OJB
OJC
OJD
OJE
OJF
OJG
OJH
OJJ
OJK
OJL

OJM
OJN
OJO
OJP
OJR
OJS
OJT
OJU
OJV
OJW
OJX
OJY

OK
OKA
OKB
OKC
OKD
OKE
OKF
OKG
OKH
OKJ
OKK
OKL
OKM
OKN
OKO
OKP
OKR
OKS
OKT
OKU
OKV
OKW
OKX
OKY

OL
OLA
OLB
OLC
OLD
OLE
OLF
OLG
OLH
OLJ
OLK
OLL
OLM
OLN
OLO
OLP
OLR
OLS
OLT
OLU
OLV
OLW
OLX
OLY

OM
OMA
OMB
OMC
OMD
OME
OMF
OMG

OMH
OMJ
OMK
OML
OMM
OMN
OMO
OMP
OMR
OMS
OMT
OMU
OMV
OMW
OMX
OMY

ON
ONA
ONB
ONC
OND
ONE
ONF
ONG
ONH
ONJ
ONK
ONL
ONM
ONN
ONO
ONP
ONR
ONS
ONT
ONU
ONV
ONW
ONX
ONY

OO
OOA
OOB
OOC
OOD
OOE
OOF
OOG
OOH
OOJ
OOK
OOL
OOM
OON
OOO
OOP
OOR
OOS
OOT
OOU
OOV
OOW
OOX
OOY

OP
OPA
OPB
OPC

OPD
OPE
OPF
OPG
OPH
OPJ
OPK
OPL
OPM
OPN
OPO
OPP
OPR
OPS
OPT
OPU
OPV
OPW
OPX
OPY

OR
ORA
ORB
ORC
ORD
ORE
ORF
ORG
ORH
ORJ
ORK
ORL
ORM
ORN
ORO
ORP
ORR
ORS
ORT
ORU
ORV
ORW
ORX
ORY

OS
OSA
OSB
OSC
OSD
OSE
OSF
OSG
OSH
OSJ
OSK
OSL
OSM
OSN
OSO
OSP
OSR
OSS
OST
OSU
OSV
OSW
OSX
OSY

OT
OTA
OTB
OTC
OTD
OTE
OTF
OTG
OTH
OTJ
OTK
OTL
OTM
OTN
OTO
OTP
OTR
OTS
OTT
OTU
OTV
OTW
OTX
OTY

OU
OUA
OUB
OUC
OUD
OUE
OUF
OUG
OUH
OUJ
OUK
OUL
OUM
OUN
OUO
OUP
OUR
OUS
OUT
OUU
OUV
OUW
OUX
OUY

OV
OVA
OVB
OVC
OVD
OVE
OVF
OVG
OVH
OVJ
OVK
OVL
OVM
OVN
OVO
OVP
OVR
OVS
OVT
OVU

OVV
OVW
OVX
OVY

OW
OWA
OWB
OWC
OWD
OWE
OWF
OWG
OWH
OWJ
OWK
OWL
OWM
OWN
OWO
OWP
OWR
OWS
OWT
OWU
OWV
OWW
OWX
OWY

OX
OXA
OXB
OXC
OXD
OXE
OXF
OXG
OXH
OXJ
OXK
OXL
OXM
OXN
OXO
OXP
OXR
OXS
OXT
OXU
OXV
OXW
OXX
OXY

OY
OYA
OYB
OYC
OYD
OYE
OYF
OYG
OYH
OYJ
OYK
OYL
OYM
OYN
OYO
OYP

OYR
OYS
OYT
OYU
OYV
OYW
OYX
OYY

P	PCV	PFR	PJM	PMH	PPD		PVV	PYR
PA	PCW	PFS	PJN	PMJ	PPE	PT	PVW	PYS
PAA	PCX	PFT	PJO	PMK	PPF	PTA	PVX	PYT
PAB	PCY	PFU	PJP	PML	PPG	PTB	PVY	PYU
PAC		PFV	PJR	PMM	PPH	PTC		PYV
PAD	PD	PFW	PJS	PMN	PPJ	PTD	PW	PYW
PAE	PDA	PFX	PJT	PMO	PPK	PTE	PWA	PYX
PAF	PDB	PFY	PJU	PMP	PPL	PTF	PWB	PYY
PAG	PDC		PJV	PMR	PPM	PTG	PWC	
PAH	PDD	PG	PJW	PMS	PPN	PTH	PWD	QA
PAJ	PDE	PGA	PJX	PMT	PPO	PTJ	PWE	QB
PAK	PDF	PGB	PJY	PMU	PPP	PTK	PWF	QC
PAL	PDG	PGC		PMV	PPR	PTL	PWG	QD
PAM	PDH	PGD	PK	PMW	PPS	PTM	PWH	QE
PAN	PDJ	PGE	PKA	PMX	PPT	PTN	PWJ	QF
PAO	PDK	PGF	PKB	PMY	PPU	PTO	PWK	QG
PAP	PDL	PGG	PKC		PPV	PTP	PWL	QH
PAR	PDM	PGH	PKD		PPW	PTR	PWM	QJ
PAS	PDN	PGJ	PKE	PN	PPX	PTS	PWN	QK
PAT	PDO	PGK	PKF	PNA	PPY	PTT	PWO	QL
PAU	PDP	PGL	PKG	PNB		PTU	PWP	QM
PAV	PDR	PGM	PKH	PNC		PTV	PWR	QN
PAW	PDS	PGN	PKJ	PND	PR	PTW	PWS	QP
PAX	PDT	PGO	PKK	PNE	PRA	PTX	PWT	QQ
PAY	PDU	PGP	PKL	PNF	PRB	PTY	PWU	QS
	PDV	PGR	PKM	PNG	PRC		PWV	
PB	PDW	PGS	PKN	PNH	PRD		PWW	
PBA	PDX	PGT	PKO	PNJ	PRE	PU	PWX	
PBB	PDY	PGU	PKP	PNK	PRF	PUA	PWY	
PBC		PGV	PKR	PNL	PRG	PUB		
PBD	PE	PGW	PKS	PNM	PRH	PUC		
PBE	PEA	PGX	PKT	PNN	PRJ	PUD	PX	
PBF	PEB	PGY	PKU	PNO	PRK	PUE	PXA	
PBG	PEC		PKV	PNP	PRL	PUF	PXB	
PBH	PED	PH	PKW	PNR	PRM	PUG	PXC	
PBJ	PEE	PHA	PKX	PNS	PRN	PUH	PXD	
PBK	PEF	PHB	PKY	PNT	PRO	PUJ	PXE	
PBL	PEG	PHC		PNU	PRP	PUK	PXF	
PBM	PEH	PHD	PL	PNV	PRR	PUL	PXG	
PBN	PEJ	PHE	PLA	PNW	PRS	PUM	PXH	
PBO	PEK	PHF	PLB	PNX	PRT	PUN	PXJ	
PBP	PEL	PHG	PLC	PNY	PRU	PUO	PXK	
PBR	PEM	PHH	PLD		PRV	PUP	PXL	
PBS	PEN	PHJ	PLE	PO	PRW	PUR	PXM	
PBT	PEO	PHK	PLF	POA	PRX	PUS	PXN	
PBU	PEP	PHL	PLG	POB	PRY	PUT	PXO	
PBV	PER	PHM	PLH	POC		PUU	PXP	
PBW	PES	PHN	PLJ	POD		PUV	PXR	
PBX	PET	PHO	PLK	POE	PS	PUW	PXS	
PBY	PEU	PHP	PLL	POF	PSA	PUX	PXT	
	PEV	PHR	PLM	POG	PSB	PUY	PXU	
PC	PEW	PHS	PLN	POH	PSC		PXV	
PCA	PEX	PHT	PLO	POJ	PSD	PV	PXW	
PCB	PEY	PHU	PLP	POK	PSE	PVA	PXX	
PCC		PHV	PLR	POL	PSF	PVB	PXY	
PCD	PF	PHW	PLS	POM	PSG	PVC		
PCE	PFA	PHX	PLT	PON	PSH	PVD	PY	
PCF	PFB	PHY	PLU	POO	PSJ	PVE	PYA	
PCG	PFC		PLV	POP	PSK	PVF	PYB	
PCH	PFD	PJ	PLW	POR	PSL	PVG	PYC	
PCJ	PFE	PJA	PLX	POS	PSM	PVH	PYD	
PCK	PFF	PJB	PLY	POT	PSN	PVJ	PYE	
PCL	PFG	PJC		POU	PSO	PVK	PYF	
PCM	PFH	PJD	PM	POV	PSP	PVL	PYG	
PCN	PFJ	PJE	PMA	POW	PSR	PVM	PYH	
PCO	PFK	PJF	PMB	POX	PSS	PVN	PYJ	
PCP	PFL	PJG	PMC	POY	PST	PVO	PYK	
PCR	PFM	PJH	PMD		PSU	PVP	PYL	
PCS	PFN	PJJ	PME	PP	PSV	PVR	PYM	
PCT	PFO	PJK	PMF	PPA	PSW	PVS	PYN	
PCU	PFP	PJL	PMG	PPB	PSX	PVT	PYO	
				PPC	PSY	PVU	PYP	

	RCV	RFR	RJM	RMH	RPD		RVV	RYR
RA	RCW	RFS	RJN	RMJ	RPE	RT	RVW	RYS
RAA	RCX	RFT	RJO	RMK	RPF	RTA	RVX	RYT
RAB	RCY	RFU	RJP	RML	RPG	RTB	RVY	RYU
RAC		RFV	RJR	RMM	RPH	RTC		RYV
RAD	RD	RFW	RJS	RMN	RPJ	RTD		RYW
RAE	RDA	RFX	RJT	RMO	RPK	RTE	RWA	RYX
RAF	RDB	RFY	RJU	RMP	RPL	RTF	RWB	RYY
RAG	RDC		RJV	RMR	RPM	RTG	RWC	
RAH	RDD	RG	RJW	RMS	RPN	RTH	RWD	
RAJ	RDE	RGA	RJX	RMT	RPO	RTJ	RWE	
RAK	RDF	RGB	RJY	RMU	RPP	RTK	RWF	
RAL	RDG	RGC		RMV	RPR	RTL	RWG	
RAM	RDH	RGD	RK	RMW	RPS	RTM	RWH	
RAN	RDJ	RGE	RKA	RMX	RPT	RTN	RWJ	
RAO	RDK	RGF	RKB	RMY	RPU	RTO	RWK	
RAP	RDL	RGG	RKC		RPV	RTP	RWL	
RAR	RDM	RGH	RKD	RN	RPW	RTR	RWM	
RAS	RDN	RGJ	RKE	RNA	RPX	RTS	RWN	
RAT	RDO	RGK	RKF	RNB	RPY	RTT	RWO	
RAU	RDP	RGL	RKG	RNC		RTU	RWP	
RAV	RDR	RGM	RKH	RND		RTV	RWR	
RAW	RDS	RGN	RKJ	RNE	RR	RTW	RWS	
RAX	RDT	RGO	RKK	RNF	RRA	RTX	RWT	
RAY	RDU	RGP	RKL	RNG	RRB	RTY	RWU	
	RDV	RGR	RKM	RNH	RRC		RWV	
RB	RDW	RGS	RKN	RNJ	RRD		RWW	
RBA	RDX	RGT	RKO	RNK	RRE	RU	RWX	
RBB	RDY	RGU	RKP	RNL	RRF	RUA	RWY	
RBC		RGV	RKR	RNM	RRG	RUB		
RBD	RE	RGW	RKS	RNN	RRH	RUC		
RBE	REA	RGX	RKT	RNO	RRJ	RUD	RX	
RBF	REB	RGY	RKU	RNP	RRK	RUE	RXA	
RBG	REC		RKV	RNR	RRL	RUF	RXB	
RBH	RED	RH	RKW	RNS	RRM	RUG	RXC	
RBJ	REE	RHA	RKX	RNT	RRN	RUH	RXD	
RBK	REF	RHB	RKY	RNU	RRO	RUJ	RXE	
RBL	REG	RHC		RNV	RRP	RUK	RXF	
RBM	REH	RHD	RL	RNW	RRR	RUL	RXG	
RBN	REJ	RHE	RLA	RNX	RRS	RUM	RXH	
RBO	REK	RHF	RLB	RNY	RRT	RUN	RXJ	
RBP	REL	RHG	RLC		RRU	RUO	RXK	
RBR	REM	RHH	RLD	RO	RRV	RUP	RXL	
RBS	REN	RHJ	RLE	ROA	RRW	RUR	RXM	
RBT	REO	RHK	RLF	ROB	RRX	RUS	RXN	
RBU	REP	RHL	RLG	ROC	RRY	RUT	RXO	
RBV	RER	RHM	RLH	ROD		RUU	RXP	
RBW	RES	RHN	RLJ	ROE		RUV	RXR	
RBX	RET	RHO	RLK	ROF	RS	RUW	RXS	
RBY	REU	RHP	RLL	ROG	RSA	RUX	RXT	
	REV	RHR	RLM	ROH	RSB	RUY	RXU	
RC	REW	RHS	RLN	ROJ	RSC		RXV	
RCA	REX	RHT	RLO	ROK	RSD	RV	RXW	
RCB	REY	RHU	RLP	ROL	RSE	RVA	RXX	
RCC		RHV	RLR	ROM	RSF	RVB	RXY	
RCD	RF	RHW	RLS	RON	RSG	RVC		
RCE	RFA	RHX	RLT	ROO	RSH	RVD	RY	
RCF	RFB	RHY	RLU	ROP	RSJ	RVE	RYA	
RCG	RFC		RLV	ROR	RSK	RVF	RYB	
RCH	RFD	RJ	RLW	ROS	RSL	RVG	RYC	
RCJ	RFE	RJA	RLX	ROT	RSM	RVH	RYD	
RCK	RFF	RJB	RLY	ROU	RSN	RVJ	RYE	
RCL	RFG	RJC		ROV	RSO	RVK	RYF	
RCM	RFH	RJD	RM	ROW	RSP	RVL	RYG	
RCN	RFJ	RJE	RMA	ROX	RSR	RVM	RYH	
RCO	RFK	RJF	RMB	ROY	RSS	RVN	RYJ	
RCP	RFL	RJG	RMC		RST	RVO	RYK	
RCR	RFM	RJH	RMD	RP	RSU	RVP	RYL	
RCS	RFN	RJJ	RME	RPA	RSV	RVR	RYM	
RCT	RFO	RJK	RMF	RPB	RSW	RVS	RYN	
RCU	RFP	RJL	RMG	RPC	RSY	RVT	RYO	
							RVU	RYP

S · SA · SAA · SAB · SAC · SAD · SAE · SAF · SAG · SAH · SAJ · SAK · SAL · SAM · SAN · SAO · SAP · SAR · SAS · SAT · SAU · SAV · SAW · SAX · SAY

SB · SBA · SBB · SBC · SBD · SBE · SBF · SBG · SBH · SBJ · SBK · SBL · SBM · SBN · SBO · SBP · SBR · SBS · SBT · SBU · SBV · SBW · SBX · SBY

SC · SCA · SCB · SCC · SCD · SCE · SCF · SCG · SCH · SCJ · SCK · SCL · SCM · SCN · SCO · SCP · SCR · SCS · SCT · SCU

SCV · SCW · SCX · SCY

SD · SDA · SDB · SDC · SDD · SDE · SDF · SDG · SDH · SDJ · SDK · SDL · SDM · SDN · SDO · SDP · SDR · SDS · SDT · SDU · SDV · SDW · SDX · SDY

SE · SEA · SEB · SEC · SED · SEE · SEF · SEG · SEH · SEJ · SEK · SEL · SEM · SEN · SEO · SEP · SER · SES · SET · SEU · SEV · SEW · SEX · SEY

SF · SFA · SFB · SFC · SFD · SFE · SFF · SFG · SFH · SFJ · SFK · SFL · SFM · SFN · SFO · SFP

SFR · SFS · SFT · SFU · SFV · SFW · SFX · SFY

SG · SGA · SGB · SGC · SGD · SGE · SGF · SGG · SGH · SGJ · SGK · SGL · SGM · SGN · SGO · SGP · SGR · SGS · SGT · SGU · SGV · SGW · SGX · SGY

SH · SHA · SHB · SHC · SHD · SHE · SHF · SHG · SHH · SHJ · SHK · SHL · SHM · SHN · SHO · SHP · SHR · SHS · SHT · SHU · SHV · SHW · SHX · SHY

SJ · SJA · SJB · SJC · SJD · SJE · SJF · SJG · SJH · SJJ · SJK · SJL

SJM · SJN · SJO · SJP · SJR · SJS · SJT · SJU · SJV · SJW · SJX · SJY

SK · SKA · SKB · SKC · SKD · SKE · SKF · SKG · SKH · SKJ · SKK · SKL · SKM · SKN · SKO · SKP · SKR · SKS · SKT · SKU · SKV · SKW · SKX · SKY

SL · SLA · SLB · SLC · SLD · SLE · SLF · SLG · SLH · SLJ · SLK · SLL · SLM · SLN · SLO · SLP · SLR · SLS · SLT · SLU · SLV · SLW · SLX · SLY

SM · SMA · SMB · SMC · SMD · SME · SMF · SMG

SMH · SMJ · SMK · SML · SMM · SMN · SMO · SMP · SMR · SMS · SMT · SMU · SMV · SMW · SMX · SMY

SN · SNA · SNB · SNC · SND · SNE · SNF · SNG · SNH · SNJ · SNK · SNL · SNM · SNN · SNO · SNP · SNR · SNS · SNT · SNU · SNV · SNW · SNX · SNY

SO · SOA · SOB · SOC · SOD · SOE · SOF · SOG · SOH · SOJ · SOK · SOL · SOM · SON · SOO · SOP · SOR · SOS · SOT · SOU · SOV · SOW · SOX · SOY

SP · SPA · SPB · SPC

SPD · SPE · SPF · SPG · SPH · SPJ · SPK · SPL · SPM · SPN · SPO · SPP · SPR · SPS · SPT · SPU · SPV · SPW · SPX · SPY

SR · SRA · SRB · SRC · SRD · SRE · SRF · SRG · SRH · SRJ · SRK · SRL · SRM · SRN · SRO · SRP · SRR · SRS · SRT · SRU · SRV · SRW · SRX · SRY

SS · SSA · SSB · SSC · SSD · SSE · SSF · SSG · SSH · SSJ · SSK · SSL · SSM · SSN · SSO · SSP · SSR · SSS · SST · SSU · SSV · SSW · SSX · SSY

ST · STA · STB · STC · STD · STE · STF · STG · STH · STJ · STK · STL · STM · STN · STO · STP · STR · STS · STT · STU · STV · STW · STX · STY

SU · SUA · SUB · SUC · SUD · SUE · SUF · SUG · SUH · SUJ · SUK · SUL · SUM · SUN · SUO · SUP · SUR · SUS · SUT · SUU · SUV · SUW · SUX · SUY

SV · SVA · SVB · SVC · SVD · SVE · SVF · SVG · SVH · SVJ · SVK · SVL · SVM · SVN · SVO · SVP · SVR · SVS · SVT · SVU

SVV · SVW · SVX · SVY

SW · SWA · SWB · SWC · SWD · SWE · SWF · SWG · SWH · SWJ · SWK · SWL · SWM · SWN · SWO · SWP · SWR · SWS · SWT · SWU · SWV · SWW · SWX · SWY

SX · SXA · SXB · SXC · SXD · SXE · SXF · SXG · SXH · SXJ · SXK · SXL · SXM · SXN · SXO · SXP · SXR · SXS · SXT · SXU · SXV · SXW · SXX · SXY

SY · SYA · SYB · SYC · SYD · SYE · SYF · SYG · SYH · SYJ · SYK · SYL · SYM · SYN · SYO · SYP

SYR · SYS · SYT · SYU · SYV · SYW · SYX · SYY

T	TCV	TFR	TJM	TMH	TPD		TVV	TYR
TA	TCW	TFS	TJN	TMJ	TPE	TT	TVW	TYS
TAA	TCX	TFT	TJO	TMK	TPF	TTA	TVX	TYT
TAB	TCY	TFU	TJP	TML	TPG	TTB	TVY	TYU
TAC		TFV	TJR	TMM	TPH	TTC		TYV
TAD	TD	TFW	TJS	TMN	TPJ	TTD	TW	TYW
TAE	TDA	TFX	TJT	TMO	TPK	TTE	TWA	TYX
TAF	TDB	TFY	TJU	TMP	TPL	TTF	TWB	TYY
TAG	TDC		TJV	TMR	TPM	TTG	TWC	
TAH	TDD	TG	TJW	TMS	TPN	TTH	TWD	
TAJ	TDE	TGA	TJX	TMT	TPO	TTJ	TWE	
TAK	TDF	TGB	TJY	TMU	TPP	TTK	TWF	
TAL	TDG	TGC		TMV	TPR	TTL	TWG	
TAM	TDH	TGD	TK	TMW	TPS	TTM	TWH	
TAN	TDJ	TGE	TKA	TMX	TPT	TTN	TWJ	
TAO	TDK	TGF	TKB	TMY	TPU	TTO	TWK	
TAP	TDL	TGG	TKC		TPV	TTP	TWL	
TAR	TDM	TGH	TKD	TN	TPW	TTR	TWM	
TAS	TDN	TGJ	TKE	TNA	TPX	TTS	TWN	
TAT	TDO	TGK	TKF	TNB	TPY	TTT	TWO	
TAU	TDP	TGL	TKG	TNC		TTU	TWP	
TAV	TDR	TGM	TKH	TND		TTV	TWR	
TAW	TDS	TGN	TKJ	TNE	TR	TTW	TWS	
TAX	TDT	TGO	TKK	TNF	TRA	TTX	TWT	
TAY	TDU	TGP	TKL	TNG	TRB	TTY	TWU	
	TDV	TGR	TKM	TNH	TRC		TWV	
TB	TDW	TGS	TKN	TNJ	TRD		TWW	
TBA	TDX	TGT	TKO	TNK	TRE	TU	TWX	
TBB	TDY	TGU	TKP	TNL	TRF	TUA	TWY	
TBC		TGV	TKR	TNM	TRG	TUB		
TBD	TE	TGW	TKS	TNN	TRH	TUC		
TBE	TEA	TGX	TKT	TNO	TRJ	TUD	TX	
TBF	TEB	TGY	TKU	TNP	TRK	TUE	TXA	
TBG	TEC		TKV	TNR	TRL	TUF	TXB	
TBH	TED	TH	TKW	TNS	TRM	TUG	TXC	
TBJ	TEE	THA	TKX	TNT	TRN	TUH	TXD	
TBK	TEF	THB	TKY	TNU	TRO	TUJ	TXE	
TBL	TEG	THC		TNV	TRP	TUK	TXF	
TBM	TEH	THD	TL	TNW	TRR	TUL	TXG	
TBN	TEJ	THE	TLA	TNX	TRS	TUM	TXH	
TBO	TEK	THF	TLB	TNY	TRT	TUN	TXJ	
TBP	TEL	THG	TLC		TRU	TUO	TXK	
TBR	TEM	THH	TLD		TRV	TUP	TXL	
TBS	TEN	THJ	TLE	TO	TRW	TUR	TXM	
TBT	TEO	THK	TLF	TOA	TRX	TUS	TXN	
TBU	TEP	THL	TLG	TOB	TRY	TUT	TXO	
TBV	TER	THM	TLH	TOC		TUU	TXP	
TBW	TES	THN	TLJ	TOD		TUV	TXR	
TBX	TET	THO	TLK	TOE		TUW	TXS	
TBY	TEU	THP	TLL	TOF	TS	TUX	TXT	
	TEV	THR	TLM	TOG	TSA	TUY	TXU	
TC	TEW	THS	TLN	TOH	TSB		TXV	
TCA	TEX	THT	TLO	TOJ	TSC		TXW	
TCB	TEY	THU	TLP	TOK	TSD	TV	TXX	
TCC		THV	TLR	TOL	TSE	TVA	TXY	
TCD	TF	THW	TLS	TOM	TSF	TVB		
TCE	TFA	THX	TLT	TON	TSG	TVC		
TCF	TFB	THY	TLU	TOO	TSH	TVD	TY	
TCG	TFC		TLV	TOP	TSJ	TVE	TYA	
TCH	TFD	TJ	TLW	TOR	TSK	TVF	TYB	
TCJ	TFE	TJA	TLX	TOS	TSL	TVG	TYC	
TCK	TFF	TJB	TLY	TOT	TSM	TVH	TYD	
TCL	TFG	TJC		TOU	TSN	TVJ	TYE	
TCM	TFH	TJD	TM	TOV	TSO	TVK	TYF	
TCN	TFJ	TJE	TMA	TOW	TSP	TVL	TYG	
TCO	TFK	TJF	TMB	TOX	TSR	TVM	TYH	
TCP	TFL	TJG	TMC	TOY	TSS	TVN	TYJ	
TCR	TFM	TJH	TMD		TST	TVO	TYK	
TCS	TFN	TJJ	TME	TP	TSU	TVP	TYL	
TCT	TFO	TJK	TMF	TPA	TSV	TVR	TYM	
TCU	TFP	TJL	TMG	TPB	TSW	TVS	TYN	
				TPC	TSX	TVT	TYO	
					TSY	TVU	TYP	

41

U	UCV	UFR	UJM	UMH	UPD		UVV	UYR
UA	UCW	UFS	UJN	UMJ	UPE	UT	UVW	UYS
UAA	UCX	UFT	UJO	UMK	UPF	UTA	UVX	UYT
UAB	UCY	UFU	UJP	UML	UPG	UTB	UVY	UYU
UAC		UFV	UJR	UMM	UPH	UTC		UYV
UAD	UD	UFW	UJS	UMN	UPJ	UTD	UW	UYW
UAE	UDA	UFX	UJT	UMO	UPK	UTE	UWA	UYX
UAF	UDB	UFY	UJU	UMP	UPL	UTF	UWB	UYY
UAG	UDC		UJV	UMR	UPM	UTG	UWC	
UAH	UDD	UG	UJW	UMS	UPN	UTH	UWD	
UAJ	UDE	UGA	UJX	UMT	UPO	UTJ	UWE	
UAK	UDF	UGB	UJY	UMU	UPP	UTK	UWF	
UAL	UDG	UGC		UMV	UPR	UTL	UWG	
UAM	UDH	UGD	UK	UMW	UPS	UTM	UWH	
UAN	UDJ	UGE	UKA	UMX	UPT	UTN	UWJ	
UAO	UDK	UGF	UKB	UMY	UPU	UTO	UWK	
UAP	UDL	UGG	UKC		UPV	UTP	UWL	
UAR	UDM	UGH	UKD	UN	UPW	UTR	UWM	
UAS	UDN	UGJ	UKE	UNA	UPX	UTS	UWN	
UAT	UDO	UGK	UKF	UNB	UPY	UTT	UWO	
UAU	UDP	UGL	UKG	UNC		UTU	UWP	
UAV	UDR	UGM	UKH	UND	UR	UTV	UWR	
UAW	UDS	UGN	UKJ	UNE	URA	UTW	UWS	
UAX	UDT	UGO	UKK	UNF	URB	UTX	UWT	
UAY	UDU	UGP	UKL	UNG	URC	UTY	UWU	
	UDV	UGR	UKM	UNH	URD		UWV	
UB	UDW	UGS	UKN	UNJ	URE	UU	UWW	
UBA	UDX	UGT	UKO	UNK	URF	UUA	UWX	
UBB	UDY	UGU	UKP	UNL	URG	UUB	UWY	
UBC		UGV	UKR	UNM	URH	UUC		
UBD	UE	UGW	UKS	UNN	URJ	UUD	UX	
UBE	UEA	UGX	UKT	UNO	URK	UUE	UXA	
UBF	UEB	UGY	UKU	UNP	URL	UUF	UXB	
UBG	UEC		UKV	UNR	URM	UUG	UXC	
UBH	UED	UH	UKW	UNS	URN	UUH	UXD	
UBJ	UEE	UHA	UKX	UNT	URO	UUJ	UXE	
UBK	UEF	UHB	UKY	UNU	URP	UUK	UXF	
UBL	UEG	UHC		UNV	URR	UUL	UXG	
UBM	UEH	UHD	UL	UNW	URS	UUM	UXH	
UBN	UEJ	UHE	ULA	UNX	URT	UUN	UXJ	
UBO	UEK	UHF	ULB	UNY	URU	UUO	UXK	
UBP	UEL	UHG	ULC		URV	UUP	UXL	
UBR	UEM	UHH	ULD	UO	URW	UUR	UXM	
UBS	UEN	UHJ	ULE	UOA	URX	UUS	UXN	
UBT	UEO	UHK	ULF	UOB	URY	UUT	UXO	
UBU	UEP	UHL	ULG	UOC		UUU	UXP	
UBV	UER	UHM	ULH	UOD		UUV	UXR	
UBW	UES	UHN	ULJ	UOE	US	UUW	UXS	
UBX	UET	UHO	ULK	UOF	USA	UUX	UXT	
UBY	UEU	UHP	ULL	UOG	USB	UUY	UXU	
	UEV	UHR	ULM	UOH	USC		UXV	
UC	UEW	UHS	ULN	UOJ	USD	UV	UXW	
UCA	UEX	UHT	ULO	UOK	USE	UVA	UXX	
UCB	UEY	UHU	ULP	UOL	USF	UVB	UXY	
UCC		UHV	ULR	UOM	USG	UVC		
UCD	UF	UHW	ULS	UON	USH	UVD	UY	
UCE	UFA	UHX	ULT	UOO	USJ	UVE	UYA	
UCF	UFB	UHY	ULU	UOP	USK	UVF	UYB	
UCG	UFC		ULV	UOR	USL	UVG	UYC	
UCH	UFD	UJ	ULW	UOS	USM	UVH	UYD	
UCJ	UFE	UJA	ULX	UOT	USN	UVJ	UYE	
UCK	UFF	UJB	ULY	UOU	USO	UVK	UYF	
UCL	UFG	UJC		UOV	USP	UVL	UYG	
UCM	UFH	UJD	UM	UOW	USR	UVM	UYH	
UCN	UFJ	UJE	UMA	UOX	USS	UVN	UYJ	
UCO	UFK	UJF	UMB	UOY	UST	UVO	UYK	
UCP	UFL	UJG	UMC		USU	UVP	UYL	
UCR	UFM	UJH	UMD	UP	USV	UVR	UYM	
UCS	UFN	UJJ	UME	UPA	USW	UVS	UYN	
UCT	UFO	UJK	UMF	UPB	USX	UVT	UYO	
UCU	UFP	UJL	UMG	UPC	USY	UVU	UYP	

	VCV	VFR	VJM	VMH	VPD		VVV	VYR
A	VCW	VFS	VJN	VMJ	VPE	VT	VVW	VYS
AA	VCX	VFT	VJO	VMK	VPF	VTA	VVX	VYT
AB	VCY	VFU	VJP	VML	VPG	VTB	VVY	VYU
AC		VFV	VJR	VMM	VPH	VTC		VYV
AD	VD	VFW	VJS	VMN	VPJ	VTD	VW	VYW
AE	VDA	VFX	VJT	VMO	VPK	VTE	VWA	VYX
AF	VDB	VFY	VJU	VMP	VPL	VTF	VWB	VYY
AG	VDC		VJV	VMR	VPM	VTG	VWC	
AH	VDD	VG	VJW	VMS	VPN	VTH	VWD	
AJ	VDE	VGA	VJX	VMT	VPO	VTJ	VWE	
AK	VDF	VGB	VJY	VMU	VPP	VTK	VWF	
AL	VDG	VGC		VMV	VPR	VTL	VWG	
AM	VDH	VGD	VK	VMW	VPS	VTM	VWH	
AN	VDJ	VGE	VKA	VMX	VPT	VTN	VWJ	
AO	VDK	VGF	VKB	VMY	VPU	VTO	VWK	
AP	VDL	VGG	VKC		VPV	VTP	VWL	
AR	VDM	VGH	VKD	VN	VPW	VTR	VWM	
AS	VDN	VGJ	VKE	VNA	VPX	VTS	VWN	
AT	VDO	VGK	VKF	VNB	VPY	VTT	VWO	
AU	VDP	VGL	VKG	VNC		VTU	VWP	
AV	VDR	VGM	VKH	VND	VR	VTV	VWR	
AW	VDS	VGN	VKJ	VNE	VRA	VTW	VWS	
AX	VDT	VGO	VKK	VNF	VRB	VTX	VWT	
AY	VDU	VGP	VKL	VNG	VRC	VTY	VWU	
	VDV	VGR	VKM	VNH	VRD		VWV	
B	VDW	VGS	VKN	VNJ	VRE	VU	VWW	
BA	VDX	VGT	VKO	VNK	VRF	VUA	VWX	
BB	VDY	VGU	VKP	VNL	VRG	VUB	VWY	
BC		VGV	VKR	VNM	VRH	VUC		
BD	VE	VGW	VKS	VNN	VRJ	VUD	VX	
BE	VEA	VGX	VKT	VNO	VRK	VUE	VXA	
BF	VEB	VGY	VKU	VNP	VRL	VUF	VXB	
BG	VEC		VKV	VNR	VRM	VUG	VXC	
BH	VED	VH	VKW	VNS	VRN	VUH	VXD	
BJ	VEE	VHA	VKX	VNT	VRO	VUJ	VXE	
BK	VEF	VHB	VKY	VNU	VRP	VUK	VXF	
BL	VEG	VHC		VNV	VRR	VUL	VXG	
BM	VEH	VHD	VL	VNW	VRS	VUM	VXH	
BN	VEJ	VHE	VLA	VNX	VRT	VUN	VXJ	
BO	VEK	VHF	VLB	VNY	VRU	VUO	VXK	
BP	VEL	VHG	VLC		VRV	VUP	VXL	
BR	VEM	VHH	VLD	VO	VRW	VUR	VXM	
BS	VEN	VHJ	VLE	VOA	VRX	VUS	VXN	
BT	VEO	VHK	VLF	VOB	VRY	VUT	VXO	
BU	VEP	VHL	VLG	VOC		VUU	VXP	
BV	VER	VHM	VLH	VOD		VUV	VXR	
BW	VES	VHN	VLJ	VOE	VS	VUW	VXS	
BX	VET	VHO	VLK	VOF	VSA	VUX	VXT	
BY	VEU	VHP	VLL	VOG	VSB	VUY	VXU	
	VEV	VHR	VLM	VOH	VSC		VXV	
C	VEW	VHS	VLN	VOJ	VSD	VV	VXW	
CA	VEX	VHT	VLO	VOK	VSE	VVA	VXX	
CB	VEY	VHU	VLP	VOL	VSF	VVB	VXY	
CC		VHV	VLR	VOM	VSG	VVC		
CD	VF	VHW	VLS	VON	VSH	VVD	VY	
CE	VFA	VHX	VLT	VOO	VSJ	VVE	VYA	
CF	VFB	VHY	VLU	VOP	VSK	VVF	VYB	
CG	VFC		VLV	VOR	VSL	VVG	VYC	
CH	VFD	VJ	VLW	VOS	VSM	VVH	VYD	
CJ	VFE	VJA	VLX	VOT	VSN	VVJ	VYE	
CK	VFF	VJB	VLY	VOU	VSO	VVK	VYF	
CL	VFG	VJC		VOV	VSP	VVL	VYG	
CM	VFH	VJD	VM	VOW	VSR	VVM	VYH	
CN	VFJ	VJE	VMA	VOX	VSS	VVN	VYJ	
CO	VFK	VJF	VMB	VOY	VST	VVO	VYK	
CP	VFL	VJG	VMC		VSU	VVP	VYL	
CR	VFM	VJH	VMD	VP	VSV	VVR	VYM	
CS	VFN	VJJ	VME	VPA	VSW	VVS	VYN	
CT	VFO	VJK	VMF	VPB	VSX	VVT	VYO	
CU	VFP	VJL	VMG	VPC	VSY	VVU	VYP	

43

W	WCV	WFR	WJM	WMH	WPD		WVV	WYR
WA	WCW	WFS	WJN	WMJ	WPE	WT	WVW	WYS
WAA	WCX	WFT	WJO	WMK	WPF	WTA	WVX	WYT
WAB	WCY	WFU	WJP	WML	WPG	WTB	WVY	WYU
WAC		WFV	WJR	WMM	WPH	WTC		WYV
WAD	WD	WFW	WJS	WMN	WPJ	WTD	WW	WYW
WAE	WDA	WFX	WJT	WMO	WPK	WTE	WWA	WYX
WAF	WDB	WFY	WJU	WMP	WPL	WTF	WWB	WYY
WAG	WDC		WJV	WMR	WPM	WTG	WWC	
WAH	WDD	WG	WJW	WMS	WPN	WTH	WWD	
WAJ	WDE	WGA	WJX	WMT	WPO	WTJ	WWE	
WAK	WDF	WGB	WJY	WMU	WPP	WTK	WWF	
WAL	WDG	WGC		WMV	WPR	WTL	WWG	
WAM	WDH	WGD	WK	WMW	WPS	WTM	WWH	
WAN	WDJ	WGE	WKA	WMX	WPT	WTN	WWJ	
WAO	WDK	WGF	WKB	WMY	WPU	WTO	WWK	
WAP	WDL	WGG	WKC		WPV	WTP	WWL	
WAR	WDM	WGH	WKD	WN	WPW	WTR	WWM	
WAS	WDN	WGJ	WKE	WNA	WPX	WTS	WWN	
WAT	WDO	WGK	WKF	WNB	WPY	WTT	WWO	
WAU	WDP	WGL	WKG	WNC		WTU	WWP	
WAV	WDR	WGM	WKH	WND		WTV	WWR	
WAW	WDS	WGN	WKJ	WNE	WR	WTW	WWS	
WAX	WDT	WGO	WKK	WNF	WRA	WTX	WWT	
WAY	WDU	WGP	WKL	WNG	WRB	WTY	WWU	
	WDV	WGR	WKM	WNH	WRC		WWV	
WB	WDW	WGS	WKN	WNJ	WRD	WU	WWW	
WBA	WDX	WGT	WKO	WNK	WRE	WUA	WWX	
WBB	WDY	WGU	WKP	WNL	WRF	WUB	WWY	
WBC		WGV	WKR	WNM	WRG	WUC		
WBD		WGW	WKS	WNN	WRH	WUD	WX	
WBE	WE	WGX	WKT	WNO	WRJ	WUE	WXA	
WBF	WEA	WGY	WKU	WNP	WRK	WUF	WXB	
WBG	WEB		WKV	WNR	WRL	WUG	WXC	
WBH	WEC		WKW	WNS	WRM	WUH	WXD	
WBJ	WED	WH	WKX	WNT	WRN	WUJ	WXE	
WBK	WEE	WHA	WKY	WNU	WRO	WUK	WXF	
WBL	WEF	WHB		WNV	WRP	WUL	WXG	
WBM	WEG	WHC		WNW	WRR	WUM	WXH	
WBN	WEH	WHD	WL	WNX	WRS	WUN	WXJ	
WBO	WEJ	WHE	WLA	WNY	WRT	WUO	WXK	
WBP	WEK	WHF	WLB		WRU	WUP	WXL	
WBR	WEL	WHG	WLC		WRV	WUR	WXM	
WBS	WEM	WHH	WLD	WO	WRW	WUS	WXN	
WBT	WEN	WHJ	WLE	WOA	WRX	WUT	WXO	
WBU	WEO	WHK	WLF	WOB	WRY	WUU	WXP	
WBV	WEP	WHL	WLG	WOC		WUV	WXR	
WBW	WER	WHM	WLH	WOD		WUW	WXS	
WBX	WES	WHN	WLJ	WOE	WS	WUX	WXT	
WBY	WET	WHO	WLK	WOF	WSA	WUY	WXU	
	WEU	WHP	WLL	WOG	WSB		WXV	
	WEV	WHR	WLM	WOH	WSC		WXW	
WC	WEW	WHS	WLN	WOJ	WSD	WV	WXX	
WCA	WEX	WHT	WLO	WOK	WSE	WVA	WXY	
WCB	WEY	WHU	WLP	WOL	WSF	WVB		
WCC		WHV	WLR	WOM	WSG	WVC		
WCD	WF	WHW	WLS	WON	WSH	WVD	WY	
WCE	WFA	WHX	WLT	WOO	WSJ	WVE	WYA	
WCF	WFB	WHY	WLU	WOP	WSK	WVF	WYB	
WCG	WFC		WLV	WOR	WSL	WVG	WYC	
WCH	WFD	WJ	WLW	WOS	WSM	WVH	WYD	
WCJ	WFE	WJA	WLX	WOT	WSN	WVJ	WYE	
WCK	WFF	WJB	WLY	WOU	WSO	WVK	WYF	
WCL	WFG	WJC		WOV	WSP	WVL	WYG	
WCM	WFH	WJD	WM	WOW	WSR	WVM	WYH	
WCN	WFJ	WJE	WMA	WOX	WSS	WVN	WYJ	
WCO	WFK	WJF	WMB	WOY	WST	WVO	WYK	
WCP	WFL	WJG	WMC		WSU	WVP	WYL	
WCR	WFM	WJH	WMD	WP	WSV	WVR	WYM	
WCS	WFN	WJJ	WME	WPA	WSW	WVS	WYN	
WCT	WFO	WJK	WMF	WPB	WSX	WVT	WYO	
WCU	WFP	WJL	WMG	WPC	WSY	WVU	WYP	

44

	XCV	XFR	XJM	XMH	XPD		XVV	XYR
.A	XCW	XFS	XJN	XMJ	XPE	XT	XVW	XYS
.AA	XCX	XFT	XJO	XMK	XPF	XTA	XVX	XYT
.AB	XCY	XFU	XJP	XML	XPG	XTB	XVY	XYU
.AC		XFV	XJR	XMM	XPH	XTC		XYV
.AD	XD	XFW	XJS	XMN	XPJ	XTD	XW	XYW
.AE	XDA	XFX	XJT	XMO	XPK	XTE	XWA	XYX
.AF	XDB	XFY	XJU	XMP	XPL	XTF	XWB	XYY
.AG	XDC		XJV	XMR	XPM	XTG	XWC	
.AH	XDD	XG	XJW	XMS	XPN	XTH	XWD	
.AJ	XDE	XGA	XJX	XMT	XPO	XTJ	XWE	
.AK	XDF	XGB	XJY	XMU	XPP	XTK	XWF	
.AL	XDG	XGC		XMV	XPR	XTL	XWG	
.AM	XDH	XGD	XK	XMW	XPS	XTM	XWH	
.AN	XDJ	XGE	XKA	XMX	XPT	XTN	XWJ	
.AO	XDK	XGF	XKB	XMY	XPU	XTO	XWK	
.AP	XDL	XGG	XKC		XPV	XTP	XWL	
.AR	XDM	XGH	XKD	XN	XPW	XTR	XWM	
.AS	XDN	XGJ	XKE	XNA	XPX	XTS	XWN	
.AT	XDO	XGK	XKF	XNB	XPY	XTT	XWO	
.AU	XDP	XGL	XKG	XNC		XTU	XWP	
.AV	XDR	XGM	XKH	XND		XTV	XWR	
.AW	XDS	XGN	XKJ	XNE	XR	XTW	XWS	
.AX	XDT	XGO	XKK	XNF	XRA	XTX	XWT	
.AY	XDU	XGP	XKL	XNG	XRB	XTY	XWU	
	XDV	XGR	XKM	XNH	XRC		XWV	
.B	XDW	XGS	XKN	XNJ	XRD		XWW	
.BA	XDX	XGT	XKO	XNK	XRE	XU	XWX	
.BB	XDY	XGU	XKP	XNL	XRF	XUA	XWY	
.BC		XGV	XKR	XNM	XRG	XUB		
.BD	XE	XGW	XKS	XNN	XRH	XUC		
.BE	XEA	XGX	XKT	XNO	XRJ	XUD	XX	
.BF	XEB	XGY	XKU	XNP	XRK	XUE	XXA	
.BG	XEC		XKV	XNR	XRL	XUF	XXB	
.BH	XED	XH	XKW	XNS	XRM	XUG	XXC	
.BJ	XEE	XHA	XKX	XNT	XRN	XUH	XXD	
.BK	XEF	XHB	XKY	XNU	XRO	XUJ	XXE	
.BL	XEG	XHC		XNV	XRP	XUK	XXF	
.BM	XEH	XHD	XL	XNW	XRR	XUL	XXG	
.BN	XEJ	XHE	XLA	XNX	XRS	XUM	XXH	
.BO	XEK	XHF	XLB	XNY	XRT	XUN	XXJ	
.BP	XEL	XHG	XLC		XRU	XUO	XXK	
.BR	XEM	XHH	XLD	XO	XRV	XUP	XXL	
.BS	XEN	XHJ	XLE	XOA	XRW	XUR	XXM	
.BT	XEO	XHK	XLF	XOB	XRX	XUS	XXN	
.BU	XEP	XHL	XLG	XOC	XRY	XUT	XXO	
.BV	XER	XHM	XLH	XOD		XUU	XXP	
.BW	XES	XHN	XLJ	XOE		XUV	XXR	
.BX	XET	XHO	XLK	XOF	XS	XUW	XXS	
.BY	XEU	XHP	XLL	XOG	XSA	XUX	XXT	
	XEV	XHR	XLM	XOH	XSB	XUY	XXU	
.C	XEW	XHS	XLN	XOJ	XSC		XXV	
.CA	XEX	XHT	XLO	XOK	XSD	XV	XXW	
.CB	XEY	XHU	XLP	XOL	XSE	XVA	XXX	
.CC		XHV	XLR	XOM	XSF	XVB	XXY	
.CD	XF	XHW	XLS	XON	XSG	XVC		
.CE	XFA	XHX	XLT	XOO	XSH	XVD	XY	
.CF	XFB	XHY	XLU	XOP	XSJ	XVE	XYA	
.CG	XFC		XLV	XOR	XSK	XVF	XYB	
.CH	XFD	XJ	XLW	XOS	XSL	XVG	XYC	
.CJ	XFE	XJA	XLX	XOT	XSM	XVH	XYD	
.CK	XFF	XJB	XLY	XOU	XSN	XVJ	XYE	
.CL	XFG	XJC		XOV	XSO	XVK	XYF	
.CM	XFH	XJD	XM	XOW	XSP	XVL	XYG	
.CN	XFJ	XJE	XMA	XOX	XSR	XVM	XYH	
.CO	XFK	XJF	XMB	XOY	XSS	XVN	XYJ	
.CP	XFL	XJG	XMC		XST	XVO	XYK	
.CR	XFM	XJH	XMD	XP	XSU	XVP	XYL	
.CS	XFN	XJJ	XME	XPA	XSV	XVR	XYM	
.CT	XFO	XJK	XMF	XPB	XSW	XVS	XYN	
.CU	XFP	XJL	XMG	XPC	XSX	XVT	XYO	
						XSY	XVU	XYP

Y	YCV	YFR	YJM	YMH	YPD		YVV	YYR
YA	YCW	YFS	YJN	YMJ	YPE	YT	YVW	YYS
YAA	YCX	YFT	YJO	YMK	YPF	YTA	YVX	YYT
YAB	YCY	YFU	YJP	YML	YPG	YTB	YVY	YYU
YAC		YFV	YJR	YMM	YPH	YTC		YVV
YAD	YD	YFW	YJS	YMN	YPJ	YTD	YW	YYW
YAE	YDA	YFX	YJT	YMO	YPK	YTE	YWA	YYX
YAF	YDB	YFY	YJU	YMP	YPL	YTF	YWB	YYY
YAG	YDC		YJV	YMR	YPM	YTG	YWC	
YAH	YDD	YG	YJW	YMS	YPN	YTH	YWD	
YAJ	YDE	YGA	YJX	YMT	YPO	YTJ	YWE	
YAK	YDF	YGB	YJY	YMU	YPP	YTK	YWF	
YAL	YDG	YGC		YMV	YPR	YTL	YWG	
YAM	YDH	YGD	YK	YMW	YPS	YTM	YWH	
YAN	YDJ	YGE	YKA	YMX	YPT	YTN	YWJ	
YAO	YDK	YGF	YKB	YMY	YPU	YTO	YWK	
YAP	YDL	YGG	YKC		YPV	YTP	YWL	
YAR	YDM	YGH	YKD	YN	YPW	YTR	YWM	
YAS	YDN	YGJ	YKE	YNA	YPX	YTS	YWN	
YAT	YDO	YGK	YKF	YNB	YPY	YTT	YWO	
YAU	YDP	YGL	YKG	YNC		YTU	YWP	
YAV	YDR	YGM	YKH	YND	YR	YTV	YWR	
YAW	YDS	YGN	YKJ	YNE	YRA	YTW	YWS	
YAX	YDT	YGO	YKK	YNF	YRB	YTX	YWT	
YAY	YDU	YGP	YKL	YNG	YRC	YTY	YWU	
	YDV	YGR	YKM	YNH	YRD		YWV	
YB	YDW	YGS	YKN	YNJ	YRE	YU	YWW	
YBA	YDX	YGT	YKO	YNK	YRF	YUA	YWX	
YBB	YDY	YGU	YKP	YNL	YRG	YUB	YWY	
YBC		YGV	YKR	YNM	YRH	YUC		
YBD	YE	YGW	YKS	YNN	YRJ	YUD	YX	
YBE	YEA	YGX	YKT	YNO	YRK	YUE	YXA	
YBF	YEB	YGY	YKU	YNP	YRL	YUF	YXB	
YBG	YEC		YKV	YNR	YRM	YUG	YXC	
YBH	YED	YH	YKW	YNS	YRN	YUH	YXD	
YBJ	YEE	YHA	YKX	YNT	YRO	YUJ	YXE	
YBK	YEF	YHB	YKY	YNU	YRP	YUK	YXF	
YBL	YEG	YHC		YNV	YRR	YUL	YXG	
YBM	YEH	YHD	YL	YNW	YRS	YUM	YXH	
YBN	YEJ	YHE	YLA	YNX	YRT	YUN	YXJ	
YBO	YEK	YHF	YLB	YNY	YRU	YUO	YXK	
YBP	YEL	YHG	YLC		YRV	YUP	YXL	
YBR	YEM	YHH	YLD	YO	YRW	YUR	YXM	
YBS	YEN	YHJ	YLE	YOA	YRX	YUS	YXN	
YBT	YEO	YHK	YLF	YOB	YRY	YUT	YXO	
YBU	YEP	YHL	YLG	YOC		YUU	YXP	
YBV	YER	YHM	YLH	YOD		YUV	YXR	
YBW	YES	YHN	YLJ	YOE	YS	YUW	YXS	
YBX	YET	YHO	YLK	YOF	YSA	YUX	YXT	
YBY	YEU	YHP	YLL	YOG	YSB	YUY	YXU	
	YEV	YHR	YLM	YOH	YSC		YXV	
YC	YEW	YHS	YLN	YOJ	YSD	YV	YXW	
YCA	YEX	YHT	YLO	YOK	YSE	YVA	YXX	
YCB	YEY	YHU	YLP	YOL	YSF	YVB	YXY	
YCC		YHV	YLR	YOM	YSG	YVC		
YCD	YF	YHW	YLS	YON	YSH	YVD	YY	
YCE	YFA	YHX	YLT	YOO	YSJ	YVE	YYA	
YCF	YFB	YHY	YLU	YOP	YSK	YVF	YYB	
YCG	YFC		YLV	YOR	YSL	YVG	YYC	
YCH	YFD	YJ	YLW	YOS	YSM	YVH	YYD	
YCJ	YFE	YJA	YLX	YOT	YSN	YVJ	YYE	
YCK	YFF	YJB	YLY	YOU	YSO	YVK	YYF	
YCL	YFG	YJC		YOV	YSP	YVL	YYG	
YCM	YFH	YJD	YM	YOW	YSR	YVM	YYH	
YCN	YFJ	YJE	YMA	YOX	YSS	YVN	YYJ	
YCO	YFK	YJF	YMB	YOY	YST	YVO	YYK	
YCP	YFL	YJG	YMC		YSU	YVP	YYL	
YCR	YFM	YJH	YMD	YP	YSV	YVR	YYM	
YCS	YFN	YJJ	YME	YPA	YSW	YVS	YYN	
YCT	YFO	YJK	YMF	YPB	YSX	YVT	YYO	
YCU	YFP	YJL	YMG	YPC	YSY	YVU	YYP	

PART 2 - IRELAND AND JERSEY

AAI	BIP	CZH	EKI	GNI	IL	KZC	NZD	TI	XZD	**NEW**
ABI	BIR	CZI	ELI	GPI	IM	KZD	NZE	TIF	XZE	**REPUBLIC**
ACI	BIU		EMI	GTI	IN	KZE	NZH	TIK	XZH	**MARKS**
ADI	BIY	DAI	ENI	GYI	INI	KZH		TRI		
AEI	BIZ	DBI	EPI	GZ	IO	KZI	OHI	TYI	YI	C
AFI	BKI	DCI	ERI	GZA	IP		OI	TZ	YIF	CE
AHI	BLI	DEI	ETI	GZB	IPI	LHI	OIF	TZA	YIK	CN
AI	BMI	DFI	EYI	GZC	IR	LI	OIK	TZB	YRI	CW
AIA	BNI	DHI	EZ	GZD	IT	LIF	OIU	TZC	YYI	
AIC	BPI	DI	EZA	GZE	IU	LIK	OIZ	TZD	YZ	D
AID	BRI	DID	EZB	GZH	IW	LIM	ORI	TZE	YZA	DL
AIE	BTI	DIE	EZC	GZI	IX	LIP	OYI	TZH	YZC	
AIF	BYI	DIF	EZD		IY	LIU	OZ		YZD	G
AIH	BZ	DIH	EZE	HFI	IYI	LIZ	OZA	UI	YZE	
AIK	BZA	DIK	EZH	HHI	IZ	LPI	OZB	UIF	YZH	KE
AIM	BZB	DIM	EZI	HI	IZA	LRI	OZC	UIK		KK
AIN	BZC	DIN		HID	IZB	LYI	OZD	URI	Z	KY
AIO	BZD	DIO	FAI	HIE	IZC	LZ	OZE	UYI	ZA	
AIP	BZE	DIP	FEI	HIF	IZD	LZA	OZH	UZ	ZB	L
AIR	BZH	DIR	FFI	HIK	IZE	LZB		UZA	ZC	LD
AIU	BZI	DIU	FHI	HIM	IZH	LZC	PHI	UZB	ZD	LH
AIY		DIY	FI	HIN	IZI	LZD	PI	UZC	ZE	LK
AIZ	CAI	DIZ	FID	HIP		LZE	PIF	UZD	ZF	LM
AKI	CBI	DKI	FIE	HIU	JHI	LZH	PIK	UZE	ZH	LS
ALI	CCI	DLI	FIF	HIZ	JI	LZI	PIZ	UZH	ZI	
AMI	CDI	DMI	FIH	HMI	JIF		PRI		ZIF	MH
ANI	CEI	DNI	FIK	HNI	JIK	MHI	PYI	VIF	ZIK	MN
API	CFI	DPI	FIM	HPI	JIM	MI	PZ	VYI	ZJ	MO
ARI	CHI	DRI	FIN	HRI	JIP	MIF	PZA	VZ	ZK	
ATI	CI	DTI	FIP	HYI	JIU	MIK	PZB	VZA	ZL	OY
AYI	CID	DYI	FIU	HZ	JIZ	MIM	PZC	VZB	ZM	
AZ	CIE	DZ	FIZ	HZA	JNI	MIP	PZD	VZC	ZN	RN
AZA	CIF	DZA	FLI	HZB	JPI	MIU	PZE	VZD	ZO	
AZB	CIH	DZB	FMI	HZC	JRI	MIZ	PZH	VZE	ZP	SO
AZC	CIK	DZC	FNI	HZD	JYI	MPI		VZH	ZR	
AZD	CIM	DZD	FPI	HZE	JZ	MRI	RI		ZT	TN
AZE	CIN	DZE	FRI	HZH	JZA	MYI	RIF	WI	ZU	TS
AZH	CIO	DZH	FTI	HZI	JZB	MZ	RIK	WIF	ZW	
AZI	CIP	DZI	FYI		JZC	MZA	RRI	WIK	ZX	W
	CIR		FZ	IA	JZD	MZB	RYI	WRI	ZY	WD
			FZA	IB	JZE	MZD	RZ	WYI	ZZ	WH
BAI	CIU	EAI	FZB	IC	JZH	MZE	RZA	WZ		WW
BBI	CIY	ECI	FZC	ID	JZI	MZH	RZB	WZA		WX
BCI	CIZ	EEI	FZD	IE		MZI	RZC	WZB		
BDI	CKI	EFI	FZE	IF	KHI		RZD	WZC		
BEI	CLI	EHI	FZH	IH	KI	NHI	RZE	WZD		**JERSEY**
BFI	CMI	EI	FZI	IID	KIF	NI	RZH	WZE		
BHI	CNI	EID		IIE	KIK	NIF		WZH		J
BI	CPI	EIE		IIF	KIM	NIK	SIF			
BIC	CRI	EIF	GAI	IIK	KIU	NIU	SYI	XI		
BID	CTI	EIH	GFI	IIM	KIZ	NIZ	SZ	XIF		
BIE	CYI	EIK	GID	IIN	KPI	NRI	SZA	XIK		
BIF	CZ	EIM	GIE	IIP	KRI	NYI	SZB	XRI		
BIH	CZA	EIN	GIF	IIU	KYI	NZ	SZC	XYI		
BIK	CZB	EIP	GIH	IIZ	KZ	NZA	SZD	XZ		
BIM	CZC	EIR	GIM	IJ	KZA	NZB	DZE	XZA		
BIN	CZD	EIU	GIN	IK	KZB	NZC	SZH	XZC		
BIO	CZE	EIZ	GMI							

International Identification Letters

If a motor vehicle is to be used in a foreign country it should carry an adhesive sign on the rear giving the recognised initials of the country of registration. For example, if the owner of a car registered in Great Britain was taking his/her car to France a 'G.B.' sign should be attached to the rear of the vehicle.

The plates are normally oval with black letters and border on a white background. A complete list of International letters is given below.

Letter	Country	Letter	Country	Letter	Country
A	Austria	GCA	Guatemala	RCH	Chile
ADN	Democratic Yemen	GH	Ghana	RH	Haiti
AFG	Afghanistan	GR	Greece	RI	Indonesia
AL	Albania	GUY	Guyana	RIM	Mauritania
AND	Andorra			RL	Lebanon
AUS	Australia	H	Hungary	RM	Madagascar
		HJK	Jordan	RMM	Mali
B	Belgium	HK	Hong Kong	RN	Niger
BD	Bangladesh			RO	Rumania
BDS	Barbados	I	Italy	ROK	Korea
BG	Bulgaria	IL	Israel	RP	Philippines
BH	Belize	IND	India	RSM	San Marino
BR	Brazil	IR	Iran	RU	Barundi
BRN	Bahrain	IRL	Republic of Ireland	RWA	Rwanda
BRU	Brunei	IRQ	Iraq		
BS	Bahamas	IS	Iceland	S	Sweden
BUR	Burma			SD	Swaziland
		J	Japan	SF	Finland
C	Cuba	JA	Jamaica	SGP	Singapore
CDN	Canada			SME	Surinam
CH	Switzerland	K	Kampuchea	SN	Senegal
CI	Ivory Coast	KWT	Kuwait	SU	Soviet Russia
CL	Sri Lanka			SWA	South West Africa
CO	Columbia	L	Luxembourg	SY	Seychelles
CR	Costa Rica	LAO	Laos	SYR	Syria
CS	Czechoslovakia	LAR	Libya		
CY	Cyprus	LB	Liberia	T	Thailand
		LS	Lesotho	TG	Togo
D	German Federal Republic			TN	Tunisia
DDR	German Democratic Republic	M	Malta	TR	Turkey
DK	Denmark	MA	Morocco	TT	Trinidad & Tobago
DOM	Dominican Republic	MAL	Malaysia		
DY	Benin	MC	Monaco	U	Uraguay
DZ	Algeria	MEX	Mexico	USA	United States of America
		MS	Mauritius		
E	Spain	MW	Malawi	V	Holy See
EAK	Kenya			VN	Vietnam
EAT	Tanzania	N	Norway		
EAU	Uganda	NA	Antilles (Netherlands)	WAG	Gambia
EAZ	Zanzibar	NIC	Nicaragua	WAL	Sierra Leone
EC	Ecuador	NL	Holland (Netherlands)	WAN	Nigeria
ES	El Salvador	NZ	New Zealand	WD	Dominica, Windward Islands
ET	Egypt			WG	Grenada, Windward Islands
		P	Portugal	WL	St. Lucia, Windward Islands
F	France	PA	Panama	WS	Western Samoa
FJI	Fiji	PAK	Pakistan	WV	St. Vincent, Windward Islands
FL	Liechtenstein	PE	Peru		
FR	Faroe Islands	PL	Poland	YU	Yugoslavia
		PNG	Papua New Guinea	YV	Venezuela
GB	United Kingdom	PY	Paraguay		
GBA	Alderney			Z	Zambia
GBG	Guernsey	RA	Argentine	ZA	Republic of South Africa
GBJ	Jersey	RB	Botswana	ZRE	Zaire
GBM	Isle of Man	RC	Taiwan	ZW	Zimbabwe
GBZ	Gibraltar	RCA	Central African Republic		
		RCB	Congo		